どんな時代も
サバイバルする会社の
「社長力」養成講座

経営コンサルタント
小宮一慶

はじめに

いま、経済はたいへんな時代になっています。そんななかでいかにこれを乗り越え、むしろチャンスとしていくか、経営者の手腕が問われるときです。

では、どうするのか？

わたしは、こんなときこそ、経営の原理原則に立ち返ることだと思っています。そこから必ず、活路が見いだせます。

では、経営の原理原則とは何か？

長年、経営コンサルタントとして、多くの会社に関わってきたわたしの結論は、まず、「お客さま第一」です。どんな時代も、お客さまは、お客さま第一の会社が好きですし、働く人もお客さまに喜んでいただくことで働きがいを見いだすことができます。会社の全員が、働きがいをもって、お客さま第一に、お客さまが喜ぶ商品やサービスを提供しようとするとき、そこに、「創造」が生まれます。

もうひとつの原理原則は、「キャッシュフロー経営」です。このような不安定な時代、決算書の見かけ上の売上や利益は、企業の明日を保証してはくれません。いうまでもなく、会社は、キャッシュがなくなったときにつぶれるのですから。資金繰りに奔走する会社に、なかなか創造性は生まれません。

お客さま第一を徹底し、キャッシュフローを稼ぎ、それを将来のために人材や設備に投資し、さらに、財務改善に使うこと――これらの鉄則は、バブルが崩壊しようが、金融危機であろうが、いかなる時代にも必要な原理原則です。むしろ、厳しい時代こそ、これらの原理原則を守ることが重要だと痛感しています。

経営には、これらの鉄則のほかに、ちょっとしたコツや正すべき勘違いもあります。たとえば、経営を「管理」と勘違いしていたり、組織を「和気あいあい」にすることがベストだと思ってしまうようなことです。これらの勘違いを改め、正しい考え方を持ち、あとは、努力を積み重ねていくことが、遠回りに見えて実はもっとも確実に迅速に、強い会社をつくります。優れた経営者を育てます。かっこいい戦略や新しいマーケティング手法も、そうした土台のない経営者のもとでは生かされないばかりか、ときには、会社を誤った方向に導きかねません。

本書は、二〇〇六年に出版された『なぜ、オンリーワンを目指してはいけないのか?』のバージョンアップ版です。本質は変わりませんが、この変革期ともいえるいまにふさわしく、新しい項目を加え、既存項目も大幅に加筆修正しました。前著に比してより深く、かつ、より読みやすくなっています。二〇〇六年といえば一応好景気とされた時期ではありますが、今回改訂にあたり見直してみたとき、経営で重要なことは、どんな時代も変わらないという思いをあらたにしました。こうした厳しい時代にこそ、経営の原則やコツをつかんでいただければと思います。

本書作成にあたり、いつものようにディスカヴァー・トゥエンティワンの干場弓子社長にはたいへんお世話になりました。彼女のおかげで、わたしの考え方が十二分に披露できる本ができたと感謝しています。

著者

二〇〇九年春

どんな時代もサバイバルする会社の
「社長力」養成講座

◉

目次

社長力2 ◉ マーケティング力——71

お客さまの心をつかむマーケティングの本質を理解する

社長力3 ◉ ヒューマンリソース・マネジメント力——111

何が人を動かすのかをほんとうに理解しているか？

社長力5 ◉ リーダーシップと人間力——191

結局はリーダーの人間力がものを言う

社長力 1

ストラテジー力

経営という仕事の認識を誤っていると
うまくいくものもうまくいかない

1 「管理」よりも「方向づけ」

いまほど、国には「政治」が、会社には「経営」が求められているときはありません。では、「経営」とは何なのでしょう？　そもそも、会社には、**「経営」という独立した仕事があるのをご存じですか？**

そんなこと、当たり前じゃないか、と思われる方も少なくないとは思いますが、あえて最初にこのことを書いたのは、わたしが「経営コンサルタントをしています」と言うと、「経営コンサルタントって何をしているのですか」と聞かれることが多いからです。一般の方ならまだしも経営者の方から。

なかには「脱税の手伝いでもしているのですか」とおっしゃる経営者もいます。経営という独立した仕事があることを知っていれば、こんな質問は出ないはずです。わたしは「経営」という仕事をアドバイスしているから経営コンサルタントなのです。

会社には、営業、経理、製造、人事とも違う、「経営」という独立した仕事があり、だからこそ、業種の異なるさまざまな会社の社長を歴任する人がいるわけです。

一時期、業績が非常に悪化したIBMを立て直したルイス・ガースナー氏は、IBMの前は、RJRナビスコ、その前はアメリカン・エキスプレスの経営者でした。そして、その前は、経営コンサルタント会社マッキンゼーのディレクターでした。彼は、それぞれの業界の業務のプロではありませんでしたが、経営のプロフェッショナルではあったのです。

では、いったい、「経営」という仕事とは、何なのでしょう?

というのが、この項のテーマです（この本全体のテーマともいえます）。

あなたが「経営」の仕事を定義するとしたら何と言いますか?

実際、多くの経営者といっしょに仕事をしていてよく感じるのが、どうも、経営を「管理」と間違えているんじゃないか、ということです。口ではそうは言わなくても、実際にやっていることは、ほとんど「管理」の仕事だったりします。

もちろん、管理も経営の重要な一部分ではありますが、経営そのものではありません。

それでは経営の本質とは何か？

わたしは、経営とは、次の三つだと思っています。これは企業全体だけでなく、部門の経営でも同じです。

①企業の方向づけ
②資源の最適配分
③人を動かす

以前、経営コンサルタントの一倉定氏が「ダメな会社は、社長が部長の仕事をし、部長は課長の仕事をし、課長は係長の仕事をし、係長は平社員の仕事をしている。それで平社員はというと会社の将来を憂えている」とおっしゃっていました。

実際、経営者が経営――先ほどの三つです――を行わない会社はおかしくなります。

「管理」は部長以下の人でもやれます。地位が低くなればなるほど、管理的な部分が多くなりますが、経営の本質ではありません。経営者は、経営という仕事をしなければなりません。同族会社でない場合、部下としての仕事がうまくできる人が出世して経営者になる場合が多いのですが、**経営者となったからには、部下の仕事に逃げ込んではいけません。**

さて、経営の仕事とは、①企業の方向づけ　②資源の最適配分　③人を動かす、の三つだと説明しましたが、このなかでさらにひとつを選べと言われたら、①の「企業の方向づけ」をわたしは挙げます（もちろん、他の二つが重要でないということではありません）。特に、いまはそうです。社会の状況が大きく変動しているいまはそうです。昨日と同じことを昨日と同じようにやっていっても昨日と同じようにうまくいくとはいえないことは、だれしもお分かりでしょう。と同時に、誤った方向に舵を切り替えることの危険性もお分かりでしょう。

特に、「管理能力」に優れた「優秀な」方は肝に銘じてください。**間違った方向づけで正しい管理をすることほど、恐ろしいことはありません。**それだけ早く崖っぷちに到達します。「方向づけ」の正しい方法を知らなければなりません。

では、方向づけとは何か？　それは、

何をやるか何をやめるかを決めること。

要するに、「戦略」です。「戦略なくして成功なし」と言った人がいますが、そのとおりです。企業が成功するための必要条件です。

では、どうしたら方向づけを正しく行うことができるのか？

基本は、「お客さま」の動向をきちんと見ること。

それが第一です。短期的、長期的にお客さまが欲しているものを見極めることです。

そのためには、**会社とそこで働く人全員が、「お客さま志向」である必要があります。**

役所が国民のニーズをとらえられないのは、「自分たち志向」だからです。自分たち第一の内部志向をやりながら、お客さまのニーズを現在や将来にわたって的確につかめるわけがありません。

では、お客さま志向の会社や従業員をつくっていくにはどうしたらいいか、ですが、これが口で言うほどたやすいことではない。小さなことも見逃さず徹底していく必要があります。

社内の会議などでの「お客さま」という言葉遣いにはじまり、電話の出方など、こまごまとした「小さな行動」を変えることが、大きな違いを生みます。**とにかく小さな行動を徹底していくことです。**これはいますぐはじめる必要がありますし、いますぐでもやろうとさえ思えば、できることです。

お客さまの動向を見極めるうえで、もうひとつ重要なのが、**「発見力」**です。いくら見ようと思っていても、観察力がなければ見えません。

「7-ELEVEn」の最後の「n」が小文字なのが、だれかに言われる前から見えていた人は問題ないのですが、そうでなければ発見力を鍛える必要があります（発見力に関しては『ビジネスマンのための「発見力」養成講座』（ディスカヴァー刊）に詳しく説明しましたのでそちらを勉強してください）。

さらに、その**お客さまの背後にある世の中全体の動きをとらえること**も重要です（もちろん、土台としての経営者の価値観、経営哲学、人生哲学が重要なことも間違いありません。これについても最後の章で述べます）。

この世界的な景気後退のなかで、消費は急激に減少していますが、こういうときこそと、伸びはじめている会社もちゃんとあります。多くの会社にそれができないのは、**お客さまのニーズと世の中全体の動きを的確にとらえる、**という、この当たり前のことが実はなかなかむずかしいからです。

けれども、だれでも訓練や正しい習慣でその能力を高めることができます。次から、もう少し詳しく見ていきましょう。

❶ 企業の方向づけ

❷ 資源の最適配分

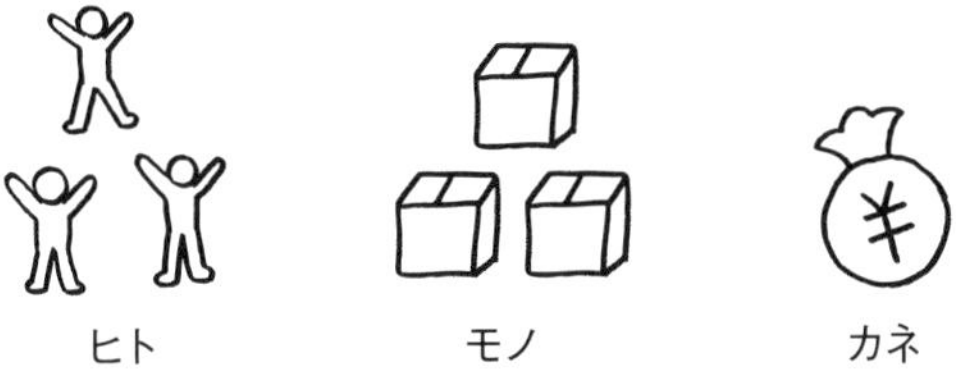

❸ 人を動かす

2 「未来予測」よりも「現在過去分析」

前の項の最後に、正しい「方向づけ」のために必要なこととして、**お客さまの背後にある、大きな世の中の流れを見極めていくこと**を挙げました。日本や世界の経済の状況です。経済の背後には政治もあります。「会社」は「社会」の中にあり、その流れには逆らいようもないからです。今回の金融危機でも分かったように、どんな会社でも大きな経済の流れには逆らえないのです。その流れを見極められるかどうかで、経営のパフォーマンスは大きく違ってきます。

ただ、ここにも、よくある思い違いが存在します。それは、**ことさら未来を予測しようとすることです**。未来を予言者のように、とうとうと語れるのが優れた経営者だと思い込んでいる人がいます。

でも、神さまでもない限り、未来はだれにも分かりません。

それが証拠に、二秒後の株価が分かりますか？

二秒後の株価があらかじめ分かって株式を売買していけば間違いなく世界一の金持ちになれるでしょうが、そうはいかない。二秒後のことすらだれにも分からない。

経営を行うには、そのだれにも分からない不確実な未来をある程度読み解くことが必要です。しかし、**未来は、未来ばかりを見ようとしても見えてきません。**

では、どうすればいいのか？　それは、

現在と過去をコツコツ勉強することです。

そこに、未来を読み解くキーがあります。

では、どうやって現在と過去を「勉強」したらいいのか？　それをこれからお話ししましょう。

まず**毎日の新聞を丹念に読む**ことです。そうやって、起こっている事実をどんどん吸収するのです。それが、過去や現在を知る「正しい努力」の第一歩です。

別にむずかしいことではないのに、多くの人がそれを「きちんと」やっていないのは、実にもったいないことだと思います。でも裏を返せば、ただそれだけで、経営者や経営者予備軍として人より一歩抜きんでることができる、ということです。

さて、新聞の読み方にも、コツがあります。

まず、**一面から読む**こと。そうしないと、興味がある部分（たとえば、テレビ欄とか三面記事とか）しか読まなくなってしまうからです。特に国際面や経済面は、ともすれば、敬遠されがちです（もちろん、この期に及んでも、朝からスポーツ紙やマンガを読んでいるような「社長」は、この本の読者にはいないと思いますが、論外です）。

次に大事なのは、大見出しだけだとしても、ただ漫然と見るのではなくて、そこから、**自社を取り巻く環境や、もっと大きな経済や社会の流れを読み取ろうとしながら読むこと**です。

むずかしいことではありません。わたしの会社では一年コースの「後継者ゼミナール」や「コンサルタント養成講座」をやっていますが、その参加者には、日経新聞を読んで自分の仕事に関係があることなどの「経済日記」を毎日つけてもらっています。受講生を見ていると、最初は、自社に関わることが中心でも、日を追うごとにより大きな経済の変化にも関心が向いてくるようになります。小さなことから始めても、きちんとやっていけば、関心の幅はどんどん広がっていくのです。

特にわたしがお勧めしているのが、**月曜の日経新聞の経済指標**。それを毎週、「定点観測」するだけで、かなりのことが分かります。未来も見えてきます。このことについては、拙著『ビジネスマンのための「発見力」養成講座』や『同「数字力」養成講座』（ともにディスカヴァー刊）など、別の本でもいつも書いていています。この経済指標を用いて、未来を読み解くセミナーもよく行っています。そのくらい重要で役に立ちます。

たとえば、もとをたどればアメリカの住宅価格の値上がりを前提とし、また証券化というリスク分散から始まった世界金融「バブル」の崩壊が近いことも、この日経新聞の経済指標の『定点観測』をしていた人には、かなり早い時期に、その予兆くらいは「見えて」いたと思います。

そして、現在の経済危機が、以前の景気後退とはまったく違う状況になっていることも、日経新聞の記事や経済指標を定点観測していれば分かるはずです（米国の数字、特に、

「個人消費」、**「新車販売台数」**、**「住宅着工」**などを01年の「ＩＴバブル」崩壊時と比べてみてください。衝撃的なはずです。日本の数字も同じです)。

ここでもし、月曜日の日経新聞の経済指標について、「そんなのあった?」という人がいるとしたら、せっかくのチャンスをムダにしています。ほんとうにもったいない。まずは、**自分の経済実感と数字が合っているかを検証する**ために、この指標を見てください。最初はよく分からなくても、毎週見ているうちに、なんとなく数字が「読める」ようになってきます。そうすれば、しめたもの。あなたも、テレビや新聞に登場するお偉い経済評論家よりもずっと的確に経済の実態、経済の動向が読めるようになります。

経営を行うにあたっては、いろいろな専門家の意見を参考にすることはもちろん重要ですが、最後は、自分で意思決定するしかありません。その判断能力を、身につけておかなければならないのです!

先ほども書きましたが、「会社」という字は、「社会」の反対です。社会より大きな会社は存在しません。経営者というのは、最後は自分の経済観や経営観を頼りに、社会の中に存在する自社の舵取りを行わなければなりません。

短期的な小さな舵取りもあれば、長期的な大きな舵取りもあります。もし、だれかの意見にしたがって間違った方向に進んでしまったとしても、その「だれか」が責任をとってくれるわけではありません（とりようもないでしょう）。

その自分自身の経済観、経営観を養うために、常に現在（現在は常に過去になる）を知る地道な努力は、**経営者の最低限の義務だ**と思います。

3 「目標」よりも「目的」

何であれ、状況が厳しくなって、いろいろと対策を講じているうちに、そもそもの目的が見えなくなってしまうことはよくあります。

ずっと以前、非常に厳しい状況に追い込まれた企業で研修を行ったことがありました。そこで参加していた従業員全員に、「強い会社とはどんな会社だと思うか？」ということをひとりずつ発表してもらいました。

「こんなしんどいときだからこそ、なぜわたしたちが夜遅くまで働かなければならないかを社長は教えてほしい」と言った人もいました。

「長い間お世話になった会社だから、働く意味さえはっきりさせてくれれば、少々給与が遅延していてもがんばれると思う」と言った人もいました。

そんななか、「社長のセルシオのために働いていると思うと、アホらしくて働けない」と言った若い女性従業員の言葉をわたしは一生忘れないと思います。

この会社は、ほどなくして倒産しました。

つまり、みなが求めていたのは、何よりもまず「働く目的」でした。お金の問題以上に、「働く意味」であり「意義」でした。

――では、あなたの会社の「目的」は何ですか？

よく会社の目的は、利益を上げることだ、と言う人がいますが、利益を上げることは、目的のための「手段」、あるいは、「目標」であって、目的ではありません。

目的というのは、究極的に行き着くところ、あるいはあるべき姿、存在意義です。「ビジョン」と言い換えてもいいでしょう。目標は、そのビジョンに向かって進んで行くときの通過点です。利益を目的にするのは株主や経営者にはよいかもしれませんが、そんな会社をお客さまは嫌いますし、働く人もいやでしょう。

もちろん、わたしは「目標」としての利益を否定しているわけではありません。よい仕事をして（つまり、これが「目的」）、その「結果」、○円の利益を上げる（これが「目標」）

ということです。それは、どんなに経営の状況が厳しくなっても変わりません。むしろ、厳しいときこそ、その原点に立ち戻るべきです。

これは、人生についても同じです。たとえば、人生の目的が「家族を幸せにする」ということなら、「今年は家族を温泉に連れて行く」というのは目標です。家を持つのも目標です。当然のことのようですが、ともすれば、わたしたちは目的と目標を混同してしまいます。だからこそ、家は建ったが、肝心の家族が崩壊したといった悲劇が起こるわけです。

先ほどの倒産した会社の例でもお分かりのように、利益の「目標」だけではだめなのです。それだけでは人はついてきません。しっかりした「目的」が必要なのです。特にしんどいときこそ、そうなのです。

人は通常のときには給料についてくる。
しかし、しんどいときにはビジョンや志についてくる。

会社の目的(ビジョン)とは、会社の存在意義そのものです。「自社の仕事を通じて、お客さま、働く仲間や家族、さらに社会の発展に貢献する」などがそれにあたります。それを社員全員にきちんと認識してもらうことが働く人に使命感を与えます。組織に、困難をみなで乗り越える強さを与えます。

と、このように書くと、「そうか、ビジョンが大事だ！　よし、わが社もビジョンをさっそく決めて、額に入れて掲げよう」とか「毎日斉唱しよう」などと思われた方もいらっしゃるかもしれませんが、ビジョンは、そう簡単には決めないでください。

その「ビジョン」は、自分の目の黒いうちは何があっても変えない、というくらいの覚悟をともなうものですか？　建前だけならないほうがましかもしれません。

この厳しい時代、ビジョンがなければ勝ち残れません。でも、お題目ではだめです。経営者や幹部が、そのビジョンを自分の志として率先して範を示していかなければ、だめなのです。「指揮官先頭」です。かっこういいことを掲げておくだけでは、ビジョンは機能しないどころか逆効果です。

本音と建前が違うのが当たり前では、だれもついてきません。リーダーが信じて先に立って行っていないことなど、部下が本気でやってくれるはずがありません。

4　「新規事業」よりも「既存事業」

隣の芝生は青く見えます。いまやっていることがうまくいかない場合、つい、うまくやっている他人の成功に目を奪われてしまうのが世の常です。特に、厳しい時代はそう思います。そこで、新規事業に乗り出し失敗、という企業が少なくありません。「介護」が伸びそうだ、「環境」がよいなどといって新規事業で失敗した会社がどれだけ多いことか。

わたしは、既存事業で泣かず飛ばずで、やらなくてもよい**新規事業に「逃げ込んで」失敗している**、としか言いようのないケースをたくさん見てきました。失敗するのが当たり前だった会社も少なくありません。だって、**内容をよく知っている既存事業でうまくやれない会社が、よく知らない新規事業でうまくいくわけがない**じゃないですか。

ビジネスは「市場における他社との競争」ですから、市場のないところでは成り立ちません。したがって、もし、既存事業の市場が現在、あるいは近い将来に十分でない場合には、新規事業に乗り出さなければなりません。そうしないと、いずれ他社ともども立ちゆかなくなりますから。しかし、現在の市場が十分にある業界は違います。

そもそも、**新規事業が成功する確率の高い企業というのは、既存事業でも十分に成功しているところなのです。**

だから、新規事業にチャレンジするなと言っているのではありません。むしろ、いろいろなことをやってみることには賛成です。でも、何でもやればよいというものではない。こういう供給過剰の時代には、強みを生かせる分野に資源を集中することです。

ビジネスのコツのひとつは「何でもかんでもやらない」ことです。

ピーター・ドラッカーは、企業がやるべきこととして次の三つを挙げています。

①既存事業の業績向上
②機会の追求
③新規事業

たしかに、新規事業も重要です。でも、三番目です。企業は環境の変化に合わせて常に挑戦し続けなければなりませんが、その**挑戦の一番目は既存事業です**。それを「徹底」する。二番目の「機会の追求」とは、既存事業の周辺分野や周辺地域に進出することをいいます。新規事業は最後なのです。

「事業ドメイン」という言葉があります。ドメインとは「領域」という意味です。得意な領域で勝負をするというのが、供給過剰時代のビジネスの大原則です。ビジネスでは資源の集中が鉄則ですが、ではどこに集中させるべきかといったら、得意な分野に、です。

得意な事業領域に資源を集中してこそ他社との違いを明確にできます。

一方、既存事業であれ新規事業であれ、挑戦するときの鉄則は、

「小さなリスクは恐れるな、大きなリスクはとるな」

です。よく社運をかけた英断で会社をよみがえらせた経営者の話がもてはやされますが、そういうケースの背後には、その何十倍、何百倍もの失敗のケース、消えていった会社が

あることを忘れてはいけません。さらに、イチかバチか、社運をかけなければいけないところに追い込まれていたという事情があったことも！

大きなリスクをとるほうがかっこよく思えるかもしれませんが、小さなリスクを常にとり続けることで、大きなリスクは回避することができます。小さなリスクをとって常に挑戦していないから、つまり、長い間、環境の変化に対応しないできたから、「社運をかけた決断」をしなければならなくなるのです。

企業は、社運など簡単にかけてはいけないとわたしは思います。社運をかけたりしなくてもいいように、常に小さなリスクをとりながら挑戦し続けるのがよい。それは、人生でも同じではないですか？

小さなリスクを常にとり続ける会社は、社内でも「挑戦」する社風が生まれやすくなります。小さなリスクをとらず、最終的に大きなリスクをとらざるをえなくなる会社には、ふだんは挑戦を行わず、言われたことを言われたようにやっている社員が増えます。会社に躍動感がなくなりがちです。

小さな挑戦は、前向きな社風づくりの基礎ともなるのです。

5 「売上高」よりも「シェア」

経営コンサルタントとして顧問先の企業の財務内容などを見る際、注目することのひとつは、売上の中身です。いくら全体の売上が目標を達成していたとしても、その内訳が、ある分野において自社の占めるシェアが高いわけではない商品やサービスに大きく偏っているとしたら、ちょっと危険です。

売上高を上げようとすることは経営においては非常に重要なことですが、売上高拡大を狙うあまりに、シェアが低い商品の売上ばかりが増えると、これは危ない。市場で主導的地位をとれず、価格やマーケティングの主導権が奪えずに他社製品の戦略や価格に大きな影響を受けることになるからです。

つまり、主導権のある他社の戦略に合わせないと、一気に売上はなくなってしまう、ということです。で、無理して合わせると、利益がなくなってしまう。利益だけでなく他社のマーケティング戦略にも振り回されかねません。

そうなると、広告宣伝費やリベートなどの営業費用が多くかかり、見かけ上の売上高は拡大しているけれどコスト倒れで利益が出ない。それどころか、結局、赤字の「くたびれ儲け」となっている場合もあります。

つまり、売上高だけにとらわれると、利益の出ない企業となってしまう場合がある。シェアからみる見方が大事なのです。市場での自社のプレゼンスや主導権を表し、市場での力となるもの、それがシェアです。

ところが、シェアというと、「シェアは中小企業には関係ない」と考える中小企業の経営者も出てきます。たしかに、一般には、大企業なら世界シェアや国内シェア、中小企業なら地域シェアを想定する人が多いでしょう。でも、それは違います。

中小企業でも、大企業でも、**「特定のお客さまのなかでのシェア」を常に意識すること**が大事です。

あるお客さまのなかでのシェアが低下し泡沫候補となると、いつ切られるか分からない。

つまり、自社にとって大きな売上を上げているお客さまでも、先方の側から見れば泡沫な取引先にすぎないとしたら、いつ切られるかという心配は常につきまといます。

実際、現在のような不況になってくると、それは心配ではなくて、現実です。

たとえば、ある会社が、現在A、B、C、Dの四社から同様の仕入れをしていて、そのシェアが、4：3：2：1だとします。

もし、この会社が、仕入れを一割削減しようとする場合、どうするでしょうか？

理屈だけで考えれば、各社の仕入れを一割ずつ減らすということになりますが、実際にはD社が切られるだけです。そのほうが取引の手数が減るからです。

あなたの会社の主力商品は、主要取引先にとってのA社ですか？　B社ですか？　C社ですか？　それともD社ですか？

自社にとっては重要でも相手からは重要でないということは、結構あるのではないですか？


大切なことは、自社の規模の大小にかかわらず、

お客さまのなかでのシェアを高め、
そのお客さまから「重要な」あるいは「大切な」存在と思われることです。

もし、いま、あなたの会社が、D社だったとしても、サービスのよさなどで他社とひと味違えば、切られる会社は別の会社となり、むしろシェアを伸ばすチャンスとなるかもしれません（シェアには、物理的なシェアだけでなく、お客さまの「精神的」なシェアもあります）。

これは、一般の消費者がお客さまである場合も同様です。一人ひとりのお客さまにとって、いちばんの商品、いちばんの会社となることを目指すのが、最終的に売上を伸ばす早道です。それは、中小企業であっても、自営業であっても、自由業であっても、同じです（次の「社長力2　マーケティング力」の章で出てくる「『客観的一番』よりも『主観的一番』」の項目を参考にしてください）。

6 「下請け」よりも「自立」

中小企業では、大企業の下請けである場合も少なくありません。逆に言えば、下請け企業があるから、大企業が存在できているわけです。

下請けはうまくいっているときは、ある意味、楽です。特に大手会社一社の下請けをしていれば、その元請会社がうまくいっていて、自社を使ってくれる限り、安泰。営業も一社だけに行えばいいし、企画開発もその会社対象だけですみます（特に、その大手会社が公共投資を請け負っていたりすると、ほんとうに楽です。いえ、楽でした）。

けれども、以前、日産が経営危機に陥ったとき、系列部品メーカーの多くは外資に身売りという憂き目に遭いました。現在、日産はもちろん、トヨタもソニーも、たいへんなことになっています。下請け企業は、もっとたいへんなことになっています。

冷たい言い方ですが、下請けは、元請会社にとってみれば自社のパートや派遣社員以下の存在だと思っていたほうがいいでしょう。パートさんに辞めてもらうには、呼び出して話をしなければなりませんが、下請けを切るには、注文の連絡をしなければそれで終わりです。派遣を切れば、「派遣切り」と世間から非難されますが、下請けを切っても非難されることなどありません。ニュースにすらなりません。

もちろん多くの企業はサプライチェーンのなかに組み込まれていて、何らかの元請会社が存在するものです。そうしたときに重要なのは、元請会社から見て、自社が「下請け」なのか「パートナー」なのか、ということです。

下請けというのは、ほかの下請けに代えても元請けにとって大きな影響のない会社（だから、元請けの言いなりにならざるをえません）。パートナーとは、その社がなくなれば元請会社が困る存在。つまり「自立」できる会社です。パートナーを目指すべきなのはいうまでもありません。

でも、たとえパートナーであったとしても、一社だけに大きく依存している体質は危険です。元請会社がこけると自社もこけてしまうわけですから。特定の元請先がなくなったら自社も存亡の危機というのでは、あまりにバランスを欠いています。

望ましいのは、いちばん大きな取引先一社がなくなっても利益が出せる収益構造にしておくことです。つまり、お客さまの「ポートフォリオ（組み合わせ）」をつくること。

ビジネスでも人生でも、大切なのは「自立」を保つこと。
自ら、選択権をもつこと。
特定の人、お客さま、株主、銀行、仕入先などに、コントロールされないことです。
組合や一部の従業員にコントロールされるのも問題です。

これは、短期利益に反応する株主やヘッジファンドなどのプレッシャーがにわかに高まってきた大企業にとっても同じことでしょう。ワールドやポッカなど上場を廃止する大企業が増加していますが、強みを生かしてよい商品やサービスを提供することがビジネスの本質ですから、そのために第三者から過度のコントロールを受けないようにするのは賢明なことだと思います。

十分な自由度をもって行ってもむずかしいのが経営です。お客さまや環境がどんどん変化するからです。ましてや、そのなかで、だれかにコントロールされて自由度が小さい状態では、その分、経営の成功確率が低くなることはいうまでもないでしょう。

7 「弱肉強食」よりも「優勝劣敗」

ビジネスは「弱肉強食」の世界だ、というのはわざわざ言い立てることもない当然のこと、なのでしょうか？　だれかを倒さないと勝てない、それがビジネスの世界、なのでしょうか？

特に現在のような厳しい経済情勢になってくると、サバイバルのためには、手段を選ばないぐらいの非情な覚悟が必要だという思いをあらたにしている方も少なくないかもしれません。

でもわたしは、どんな時代にあっても、ビジネスも人生も、「弱肉強食」ではなく、「優勝劣敗」だと信じています。**そのときどきのお客さまから見て最適の企業が生き残る**のであって、ライバルを蹴落とした企業が生き残るのではない、と。

もちろん、ビジネスは「市場における他社との競争」ですから、ライバル企業と競っていることは紛れもない事実です。でも、それは、ライバルを倒すのではなく、ライバルよりよい商品やサービスを提供して、お客さまから選ばれればよいだけのことです。

お客さまは敏感ですから、自身にとって都合のよい会社を選択します。ダメな会社は自然に淘汰されます。ビジネスも、ダーウィンの進化論のごとく、適者生存であり、「優勝劣敗」なのです。

ライバルを意識することは必要ですが、蹴落とす必要はありません。敵はライバルではなく、現状の自社、現状に甘んじている自社なのです。

個人でも同じです。ライバルを蹴落とそうなどとケチなことを考える必要はなくて、ただ、ライバルより優れた仕事をすればよいだけのことです。プロ野球選手がライバル選手の足を引っ張っても、だれも喜びません。ライバル選手よりもよい成績を出すことに専念すれば、ファンも自分もハッピーになれます。

ビジネスでいえば、お客さまもハッピーだし、お客さまがハッピーになれば、その結果、自社も従業員も株主もハッピーになれるはずです。従業員から見れば、働きがいが高まります（なお、幸せになる順番は、まずお客さまに幸せを与え、それを会社がいったん集約し従業員や株主に配分します。幸せの順番の最初がお客さまだから「お客さま第一」です。

ただし、あとで幸せになる従業員や株主のほうが大きな幸せを得られる場合も多い）。

ビジネスも人生も、
だれかが勝てばだれかが負けるという「ゼロサム（足してゼロということ）」だと考えるとうまくいきません。

ただし、だからといって、**ライバル企業の幸せまでをも願う必要はありません。**変にライバルと協調しようなどとすると、「談合」まがいとなり、社会に損害を与えることにもなりかねないのはいうまでもないでしょう。

「切磋琢磨」の社風をつくることが、社内でも社外でも大原則です。

ライバル企業はライバル企業で努力して、よりよい商品やサービスを提供すればよいだけのことです。こちらもそれに負けないようにさらに努力すればいい。そうなればお客さまも世の中もよくなります。それが「創造」です。

「創造」は神さまの世界。「弱肉強食」は動物の世界です。レベルが低いのです。神さまの世界で生きたほうが成功する確率が高いことは自明です。

8 「オンリーワン」よりも「ナンバーワン」

「ナンバーワンよりオンリーワン」などという歌が数年前に流行りましたが、まさか、あなたの会社は、「オンリーワン」を目指していたりはしませんか？　たしかに、そうなれば楽です。でも、その考え方はたいへん危険です。

オンリーワンには、「よいオンリーワン」と「悪いオンリーワン」があります。

よいオンリーワンとは、ライバルがいるなかで、お客さまから「この会社しかない」と言ってもらえるオンリーワン。一方、自社中心の考えでライバルがいなくなればよいなどと思っているオンリーワンは、悪いオンリーワンです（この世で唯一の存在だからと、切磋琢磨から逃避しているのは、弱いオンリーワンです）。

だいたいが、オンリーワンになると、お客さまから見て選択肢がなくなります。内部的にも甘えや驕りが出ます。わけも分からずに「オンリーワン戦略」などと言っている会社でうまくいったところは見たことがありません。

ほんとうに強い会社は、「オンリーワン」ではなくて「ナンバーワン」を目指します。お客さまから見た「他社との違い」を明確にし、ライバル他社に対して優位に立とうとします。それが、**「ナンバーワン戦略」**です。

お客さまから見れば、多くの選択肢があったほうがよいはずです。そして、その、たくさんの選択肢から選んでもらえるのがほんとうの強い企業です。

ほんとうに強い会社の経営者は「ライバルがいてくれて助かる」と話します。ライバル企業がいるおかげで自社の商品やサービスのよさが際立つからです（わたしのお客さまで、「ライバルのおかげで高い価格が設定できる」とまでおっしゃった社長がいます。断トツの「ナンバーワン」だからです）。

では、ナンバーワン企業であるためにはどうしたらいいか？

キーポイントは、この章の最初にお話ししたように、**お客さまが求めているものは何かということを見極めること、そして、それを「徹底」することです**。

大事なことは、たいていだれでも、どこの企業でも分かっているものです。でも、それを徹底している企業、人となると、非常に限られます。

たとえば、セブン－イレブンは、一店舗当たりの毎日の売上がライバル店に比べて二割以上多くなっています。それが一万二千店舗ですから、売上高、利益で他のコンビニチェーンを圧倒するわけです。では、なぜ、そうできているのでしょうか？

それが「徹底」の差だとわたしは思っています。

セブン－イレブンは、約一万二千の店舗すべてに、「品揃え、鮮度管理、クリンリネス（店の美しさ）、フレンドリーサービス」を徹底させていることで知られていますが、この「品揃え、鮮度管理、クリンリネス、フレンドリーサービス」がお客さまに求められていることは、他のコンビニ各社も十分に承知しているはずです。ところが他社は、分かっていながらも、毎日二割以上もセブン－イレブンに差をつけられている――それが「徹底」の差です。

何をやらなければならないかは、みんなよく分かっています。
それを「徹底」できるかできないかが、ナンバーワンかその他大勢かの違いです。

これは、個人においても同じでしょう。自分の仕事、勉強、人生は、どうしたらもっとうまくいくのか、そのために何をやらなければならないかは、みんな実はよく分かっています。でも、それを実際にコツコツと努力し、徹底して継続する人はほんの一握りしかいない。その一握りの人が、成功するのでしょう。

お客さまが何を求めているかを見いだし、それを徹底することです。それによって、「オンリーワンよりナンバーワンでいたい」と言うことができる強い企業となれます。

9 「拡大志向」だけよりも「小さくなる能力」

だれでも会社を大きくしたいと思うものです。それは本能だと思うし、その気持ちがないと経営はやっていけない。よい商品やサービスを提供して、喜んでくれるお客さまを増やそう、事業拡大によって幸せな従業員を増やそうと考えるのはよいことです。

けれども、固定費の負担増に見合った売上が続かない、規模が経営能力を超えてしまったなど、大きくしたがゆえにつぶれてしまった会社も、わたしはたくさん知っています。

ビジネスはよいときばかりではありません。売上が落ちるときもあれば、既存の市場全体がなくなるときもあります。

たとえば、いっときは女子高生などの使用で回線が足りなかったほど繁盛していたポケベル市場も、ケータイの普及によってほぼ消滅してしまいました。サブプライム問題に端を発した現在の経済危機でも、多くの企業がうまく小さくなれずに大きな赤字を計上してしまいます。さすがのトヨタ自動車でさえそうです。景気がよいときに固定費を増加させてしまったからです。

うまくいっているときには、それがずっと続くような「錯覚」にとらわれてしまうものです。でも、投資や拡大をした結果、「あの設備投資をしなければ」とか「あの事業に手を出さなければ」と言ってもあとの祭りです。

では、拡大路線をとらないほうがいいのか、というと、もちろん、そんなことはありません。

拡大しようとするときには、同時に「小さくなる能力」も確保しておくのです。**いざというときに小さくなることができれば、会社をつぶすことはありません。**不況抵抗力といってもいいでしょう。

ずいぶん、肝っ玉の小さい話だと思われるかもしれませんが、欧米の巨大企業では、M&Aや提携に際しては、別れることを想定した契約をします（余談ですが、米国の金持ちは、結婚するときに離婚のことまで考えて、結婚前の財産は、もし離婚する場合には分与しないという契約を交わすことがあるそうです)。

日本人は前向きのことを考える際に、同時に後ろ向きのことを考えるのが下手だし、いやがりますが、外国企業は、M&Aや合弁の提携交渉などをする場合、必ず「撤退条項」についてきっちり詰めてから契約を締結します。これについては見習うべきだと思います。

さて、小さくなる能力を得るには、たとえば外注を活用すればよいでしょう。すべてを自社でやるのではなく、その一部分を外注で賄うようにします。

従業員を鍛えておくのも小さくなる能力です。つまり、どうしても人員削減をしなくてはいけなくなってしまったとき、辞めていただかなければならない社員が路頭に迷わなくてもすむように、つまり、すぐ別の会社に就職できるだけの実力をつけられるような環境にしておくことです。十分に実力のある従業員なら、いざというときでも他社から引っ張りダコのはずです(とはいえ、そういう従業員が多くいる会社には、「いざ」というときは少ないはずです。不況に陥っても、そんな会社は独り勝ちということもあります)。

また、借入れを一定限度内にすることもたいへん重要です。

借入れが一定限度以上になると、借入れ返済のために売上から資金繰りをつける自転車操業をせざるをえなくなり、事業規模や売上を落とせなくなってしまいます（残念ながら、そんな会社を少なからず見てきました）。

つまり、小さくなりたくても、なれなくなってしまうのです。

では、借入れが一定限度以上というのは具体的にはどのくらいか、ということですが、これについては、「社長力4　会計力」の章で説明します。

10 「内部志向」よりも「外部志向」

わたしがダメな会社を見分ける方法は実に簡単。「お客さま志向」が徹底されているかどうかです。これだけです。このことは、電話一本かけてみれば分かります（この話は、いろいろなところで書いていますが、ほんとうに大事なことだと思いますので、何度でも書かせてください!)。

「会議中です」と平気で応対をしている会社、これはダメな会社です。

「そのどこが悪いのか?」と思った人は、「内部志向」にかなり洗脳されているといえます（いまからでも遅くないので、公務員にでもなったほうがよいでしょう)。どこが悪いって、「社内の事情でやっている会議が忙しくて、外からかかってきた電話に出ることができません」と言っているのは、役人と同じ発想です。お客さま志向ゼロ、外部志向ゼロです。

供給過剰のこの時代、敏感なお客さまは、そのような鈍感な社員のいる会社とのつき合いを控えることでしょう。敏感な人は鈍感な人とのつき合いを嫌います。お客さま志向の人や会社は、内部志向の人や会社とのつき合いを控えます。ダメなことをわざわざそのままにしているのを見るのもいやだからです。

お役所は、いわば「内部志向」の権化ですから、社会保険庁の例を出すまでもなく、国民無視もはなはだしいようなことが平気で起こります。役所なら徴税権があるからそれでもなんとかやっていけるでしょうが、企業の場合はそういうわけにはいきません。お客さまからいただく利益だけが、企業存続のための唯一の基盤だからです。

どんなにお金のある会社でも、どんなに優秀な人材が多くいる会社でも、お客さまから利益を得られなくなったら存続はむずかしい。お客さまに好かれなければ利益は出ません。当たり前のことなのに、忘れてしまう。

何度も言いますが、企業経営の根本は「お客さま第一」。これしかありません。

こんなふうに言うと、忘れてなんかいない、うちの会社の社是は、「お客さま第一です！」などとおっしゃる会社も多いのですが、そういう会社のなかにも、「会議中です」

と社員に平気で答えさせていたりする会社が少なくないわけです（そういう会社は、社是を「社内第一」や「会議第一」に変えたほうがいいですね）。「お客さま第一」がほんとうに分かっている会社は少ないと感じます。

ちなみに、社内の会議なら、会議中であっても外からの電話は取り次いでもらうのが大原則です。でも、どうしても外せない会議や、ほかのお客さまとの商談中のこともあるでしょう。そういう場合には、どうするか？

なんだか、マナーの本のようで、いまさらという気もしますが、そんなときは、「申し訳ありませんが、席を外しております。もし、よろしければ御用件を承ります」と答えるように社内で徹底させてください。

社内の会議なのに「接客中です」と答えるように指導しているところもあるようですが、それはよくないと思います。電話に出る人にウソをつかせているからです。「ウソも方便」といいますが、平気でウソをつかせているような会社では、働く人の意欲がどんどん失せていきます。

そして、小さなウソがエスカレートしていき、ウソが当たり前になり、かつての三菱自動車や船場吉兆のような会社になってしまいます。**小さなウソを軽視してはいけません。**

不祥事を起こす会社、自滅していく会社というのは、みんな内部志向です。**外部志向でいる限り、会社はたいていうまくいきます。**

内部志向に関連して、もうひとつ。あなたの会社では、社内の人だけの会議でも「お客さま」という言葉を使っているでしょうか。社内では「客」と言っていたりしないでしょうか。大切なお客さまを「さん」づけで呼んでいますか？「クレーム処理」などと言っていませんか（クレームは「対応」するもので事務のように「処理」してはいけません）？社員一人ひとりの、こうしたふだんの言葉遣いにまで神経を行き渡らせることも、会社をよくするためには非常に大切です。

よい会社は「きめ細かい」のです。よい人も「きめ細かい」のです。**経営とは、実は、このような細かいところにこそ注意を払うことが重要だ**とつくづく思います。これが会社の「基礎力」となるからです。

11 「ES優先」よりも「CS優先」

先の項の「内部志向」よりも「外部志向」を別の言葉で表現すると、「ES(Employee Satisfaction　従業員満足度)」より「CS(Customer Satisfaction　お客さま満足度)」ということになります。

これもまた当たり前のことのように思われるかもしれませんが、一方で、「まず、従業員が生き生きと心地よく働ける環境をつくらないと、お客さまに満足していただけるようなサービスはできない」という考え方もあります。

たしかに、従業員が食うや食わずでは、お客さまによい商品やサービスを提供するのはむずかしい。「衣食足りて礼節を知る」のは当然でしょう。

しかし、ES優先を強調すると、組織はおかしくなります。

たとえば、公務員です。給与はそこそこかもしれませんが、格安の宿舎などがあるうえに、高額の退職金や年金をもらえ、さらには、生産性が低いのに有給休暇もすべて消化でき、残業代もふんだんにつけられます。官僚ともなれば、天下りもできます。問題となった「渡り」をする人もいます。「遅れず、休まず、働かず」をモットーとしている人にはこんなすばらしい、ES（従業員満足度）の高い職場はないでしょう。

一方で、CS（お客さま満足度）は最低でしょう。高い税金をとられている国民のなかで役所のあり方や対応に満足している人などいるでしょうか。

ES（従業員満足度）が高くともCS（お客さま満足度）など上がりません。むしろ、逆です。

わたしの経験では、**「従業員第一」などと言っている会社に限って給料が安いものです。**従業員第一と言っている会社の経営者は、それを安月給の言い訳にしているのではないでしょうか（！）。

さもなければつぶれています。なぜなら、そんな従業員第一の会社をお客さまは好きではないからです。

もちろん、従業員を冷遇すればよいと言っているのではありません。むしろ逆です。まずCSを高めて、それによりESを高める、それが正しい発想です。CSが高まれば会社の業績は向上します。そうなれば、従業員や株主に多くを配分することができます。

ESはあくまでもCSの結果なのです。

つまり、**従業員の待遇をよりよくするためには、お客さまを優先して利益を高めるしかないのです。**CSを高めて業績を上げて高い給与を支払うのがよい会社です。

それに、お客さまや世の中のためと思って仕事をして、それで稼げれば仕事が楽しくなるだろうし、そのほうが結果的にお金が多く稼げることを知れば自分も幸せだと思います。CSを高める経営は「働きがい」を高める経営でもあるのです。

CS向上が働きがいのアップにつながり、それが業績向上を通じて、ES上昇につながる。さらにそれが、CS向上につながるという、よい循環を得られるのです。

ちなみに、わたしは、会社が従業員に提供できる幸せは、

①「働く幸せ」
②「経済的幸せ」

だと考えています。

経済的幸せとは、いうまでもなくお給料です。働く幸せとは、働くことによって自己実現する幸せです。そして、

自己実現とは、なりうる最高の自分になることです。

会社とは働きに来るところであり、人は、「働きがい」ということを知れば、働くことによってなりうる最高の自分になれるのだと思っています。

12 「モチベーションアップ」よりも「働きがい」

従業員のモチベーションをどのように高めるかは、多くの経営者やリーダーにとって、大きな関心事のひとつでしょう。わたしのところにも「働く人のモチベーションをもっと高めるにはどうすればよいでしょうか」という相談がたくさんきます。

しかし、この「働く人のモチベーションを高めたい」というのは経営者側の論理です。同じ給料でもっとよく働いてほしいという、厳しい言い方をすれば、経営者の勝手な思惑です。

ですから、そんなときに、わたしが必ず申し上げるのは「働きがいを高めなさい」ということです。働きがいが高まれば、モチベーションは自然に上がるものだからです。

仕事は本来「楽」なものではありません。
しかし、それを「楽しく」やることが大切です。

イチロー選手でも楽ではないと思います。楽だったら、六割以上凡退することはないはずです。でも、その**楽でない仕事を楽しくやるのが、「働きがい」**なのです。

繰り返しになりますが、

働く人のモチベーションを高めたいと思ったら、働きがいを高めることです。

働きがいが高まれば、モチベーションは自然に上がります。

働きがいとは、**働くことに意義を見いだすこと**です。もっともよいのは、「他の人に頼られている」とか、「他の人に喜ばれている」ということです。自分の限界に挑戦することでもかまいません。

もちろん、お金を稼ぐというのもひとつの意義です。先に、会社が与えられる「幸せ」のひとつに「経済的幸せ」を挙げましたが、それがそうです。しかし、多くの人はそれだけではモチベーションを上げられません。上がっても続きません。ある程度お金を得るようになると、モチベーションが落ちます。お金ももちろん大切ですが、それにプラスして、その他の働きがいを高めることです。

そのための必要条件のひとつは、ある程度の「技」(スキル)を身につけられるようにすることです。会社は仕事をしに来るところですから、技が必要です。経理の人なら簿記の知識、製造ならそれに関する知識やノウハウといったものです。もちろん、営業にも経営にも技が必要です。技がなければ仕事は十分にはできません。人に喜んでもらえるような仕事をできるだけの技が必要です。

技を持ち、人より少し仕事ができると、「居場所」ができ、働きがいが高まります。

居場所とは、言い換えると、「自分の存在意義」です。
自分の居場所を確保できてこそ働きがいが高まるのです。
居場所が必要条件です。

それでは十分条件は?

それは、**「人から評価されること」**です。お客さまや同僚から評価される、そうすれば、働く意義がより高まります。

もちろん、人は自分のために働いています。その自分のために働くことが、人から評価されると、ますますやる気が出るものです。まして、それが高い評価を受けるとなると、さらに、ますますやる気が出ます。

「お客さま第一」は、実は社員の働きがいを高めるためにも、会社としてもっとも大切なことだったのです。お客さまを大切にした対応を行うと、お客さまからその人がほめられやすくなります。自分たち第一をほめるお客さまはいません。ほめられると、ますますよい仕事をしようと思います。それで、よい仕事をするとさらにほめられる、という正のスパイラルが生まれるのです。

「お客さま第一」は、働く人に働きがいを与え、
そのことが会社に利益をもたらし、
それが、さらに働く人に経済的幸せをもたらすという、マジックワードなのです。

もちろん、内部事務を行っている人も会社にはいますが、その人たちは、周りの人に喜んでもらえる仕事をすることによって、つまり、直接お客さまに関わっている人たちのサポートをし、そのことを評価されることによって、働きがいを得ます（したがって、お客さまや同僚から評価されていることを、社内で認めるような給与体系や人事評価制度が必要となります）。

心理学的にも同様のことが言えます。人のエネルギーを引き出すには「自尊心」と「自負心」が必要だと言われています。

自尊心とは自分を尊いと思う気持ちであり、他の人から存在が認められているということです。自負心は自分ならできるという気持ちです。

職場では、仕事ができると、人から認められます。居場所ができます。ですから、最初は、部下が仕事を人並みかそれ以上できるようになるまで鍛えることです。そこには王道はありません。本人に努力をさせるのです。仕事ができるという自負心を持たせ、周りから認められ、自尊心も持てるようにすることです。

そして、経営者自身も当然、自分の仕事に努め、自尊心と自負心を持つことです。

話は変わりますが、あなたは、会社に行くときに「ルンルン気分」で行っていますか？

これはたいへん大切なことです。ルンルン気分になれないのは、会社や仕事が楽しくないからでしょう。リーダーが楽しくない会社なんて、部下も楽しいはずがありません。だれも楽しくない会社が、お客さまをよい気分にさせられる商品やサービスを提供できるとはとても思えません。

会社をお客さま志向にし、働きがいを高め、社長から新入社員までみなが自尊心や自負心を持って、ルンルン気分で働ける会社にしたいものです。

まとめのチェックリスト

□「管理」こそが経営であると思っていないか?――16
□未来を簡単に予測できると思っていないか?――24
□「目的」と「目標」を混同していないか?――30
□積極的に「新規事業」に乗り出すのが、やり手の経営者だと思っていないか?――34
□お客さまのなかでの「シェア」を高めているか?――38
□大手の系列に入っているからと、安心していないか?――42
□ビジネスは「弱肉強食」のゼロサムゲームだと思っていないか?――45
□「オンリーワン」を目指していないか?――48
□「小さくなる能力」を持っているか?――52
□「お客さま第一主義」と言いながら、「社内第一主義」になっていないか?――56
□「ES」を高めるほど、「CS」は高まると思っていないか?――60
□「働きがい」を高めているか?――64

社長力2

マーケティング力

お客さまの心をつかむ
マーケティングの本質を理解する

1 「新規顧客開拓」よりも「既存のお客さま」

前の章でも、あちこちで、「お客さま志向」の大切さを説明しましたが、この章では、同じことを、より商品やサービスにそった形で説明します。お客さま第一を徹底することが、とにかく会社成功のためのキーなのです。

さて、最初に、申し上げます。

ダメな会社は新規営業がうまい。

「えっ、ウソ！　新規営業がうまいのはよい会社でしょう？」という声が聞こえてきそうですが、でも、ほんとうです。経営コンサルタントとして現場で会社を見ていてほんとうにそう思います。

実際、ダメな会社は既存のお客さまがどんどん逃げていくから、新規営業が上手でないとやっていけないのです。そうやって新規でお客さまを獲得しても、ダメな会社はお客さまを大切にすることができませんから、またそのお客さまはすぐに離れていくので、いたちごっことなります。そのプロセスで新規営業だけはうまくなるのです。

既存のお客さまが離れていくのは、その会社に不満があるからです。その不満は、悪い評判となって広がります。がんばって獲得した新規のお客さまも対応が悪ければまた離れていきますから、悪い評判を立てる人がさらに増えていきます。悪循環です。

会社はお客さまを見れば、そのレベルが分かります。よい会社には、よいお客さまが長くつきます。よい人には、長く続くよい友人がいるのと同じです。

京都あたりでは「一見客お断り」の料亭がありますが、これは、高飛車な営業をしているのではなくて、

既存のお客さまをより大切にすることがビジネスの根本であり、
そのほうが結果的に儲かる

ということを長い経験から知っているからです。

ところで、「リレーションシップ・マーケティング」という考え方があります。一回のお客さまに一生のお客さまになっていただこうという考えです。たとえば、カーディーラーなら、若いうちに一度車を買ってくれたお客さまに、その後も一生、自分のところで買っていただくことができたら、数千万円の売上になる、ということです。

このリレーションシップ・マーケティングでは、お客さまを

「潜在客→顧客→得意客→支持者→代弁者→パートナー」

と分類します。

得意客というのはよく買ってくれるお客さま、

支持者というのは「化粧品なら○○」、「百貨店なら△△」と、一〇〇％のブランドロイヤルティや店舗ロイヤルティを持ってくださる有り難いお客さまで、よほどのことがない限り他社へは浮気をしません。

代弁者となると、さらに一歩進んで、お友だちなどに勧めてくれます。代弁者のお客さまが増えると、下手な宣伝などしなくとも売上は上がります。いわゆる口コミです。ネッ

トの時代には、この口コミが非常に重要なことはお分かりになると思います。

最後の**パートナー**というのは、好きが高じて、その会社のために働きたいと思い、実際に手伝ってくれるお客さまです。

このように、

ほんとうによい会社は営業をしなくてもよいのです。

では、得意客、支持者、代弁者、パートナーと、お客さまとの関係を「深化」させていくにはどうすればよいのでしょうか？　これについて、次項以下で説明していきましょう。

2 「他社の真似」よりも「他社との違い」

どんな業界でも、何かヒットする商品が出ると、またたく間に類似品が多数出回ります。そして、上手に真似るのが商売上手と思っている人が多いように思います（実際に、真似た商品づくりをしていない会社でも）。

けれども、右肩上がりの時代ならいざしらず、この供給過剰の時代では、トップ企業の真似をしていても生き残れません。どんなに小さな会社でも（小さな会社だからこそ）、キーワードは「他社との違い」です。

では、どこでどのように差をつけるのか？　というと、その差別化を具体化するのが「Q、P、S」、つまり、

①Quality　品質
②Price　価格
③Service　サービス

です。お客さまは、このQ、P、Sすべてを見比べて、どの会社のどの商品を選ぶかを決めています。そこで、お客さまが望むQ、P、Sの組み合わせをいかに提供できるか、それが企業の勝ち残りのカギとなります（何でもそうですが、分解すると分かりやすくなります）。

Qは商品の品質です。サービス業ではお金をいただいて提供しているサービスがQとなります。となると、Sは何？　と思うかもしれませんね。「その他」のSだと考えていいでしょう。電話の応対がよい、というのもそうだし、伝票を間違えない、店まで近い、店員を知っているなど、その他すべてのことです。

そして、実は、この、

その他のSこそが、差別化のカギとなります。

というのも、いまや、QとPではなかなか差別化しにくいことが多いからです。

たとえば、日本経営品質賞を獲得した「ホンダカーズ中央神奈川（旧ホンダクリオ新神奈川）」は、戸別訪問や電話勧誘を一切せず、営業マン一人当たりの売上がほかのカーディーラーの二倍以上あることで有名です（ほかの本でもよくご紹介しています）。

系列のカーディーラーですから、QやPが他社と違うわけではありません。勝手な値付けはできないし、そこで買ったホンダ車が空を飛ぶということもない。つまり、**Sの差だけで倍以上売っている**わけです。

Sとは、言い換えれば「きめ細やかさ」です。サービスの話をすると、「うちもがんばってます」とおっしゃる方が多いのだけれども、サービスや「お客さま第一」については、

「やっている、やっていない」でなくて、「どこまでやっているか」です。深みが勝負なのです。

よい会社の社長とお話をすると、だいたい出てくる言葉は「うちは、まだまだです」ということです。サービスやお客さま第一の深みを知っているからです。一までやれば十あるのが分かり、十やれば百、百やれば千あるのが分かるからです（お客さま第一でも、勉強でも何でもそうですが、やればやるほど深みがあるのが分かります。ちょっとだけ分かって、全部分かったような気になっているのがいちばん危ないし、いちばん厄介な人たちです）。

さて、他社との差別化に、新しいことを行うことが必要な場合もありますが、中小企業やベンチャーでは、**Q、P、Sをライバル他社よりも「少しだけよく」するだけで、成功への近道となる**ことが多いと感じています。新しいことを行うのはリスクがあり、それなりの資本が必要ですが、**すでに市場があるところで他社と差別化する**のなら、それだけ成功確率も高くなるはずです。

お客さまの視点から見た場合には、Q、P、Sのどこを他社より「よりよく」するか、ですが、徹底したお客さま志向がベースになることはいうまでもありません。

一方、他社との差別化を具体化するもうひとつの視点として、次の4つのPがあります。有名なマーケティングの4Pです。

①Product（製品）②Price（価格）③Place（流通）④Promotion（販促）

最近は、Partnering（提携）を含めて5つのPと言われることもあるようです。Q、P、Sよりもう少し戦略的視点と言えます（このあたり、拙著『ビジネスマンのための「解決力」養成講座』（ディスカヴァー刊）に詳しく書きました）。

いずれにしても、重要なのは、**お客さまの視点に立った他社との差別化**であるということです。

本書の最初の項に書いたように、徹底的なお客さま志向の社風を小さな行動から変えることでつくりだし、それにより、お客さまのニーズを的確にとらえる「発見力」を鍛えることです。お客さまが何を求めておられるかが分からずに、行動することはできないからです。そのためには、社長が社内にばかりこもっている「穴熊」ではどうにもなりません。

どこで差別化するか？

お客さまがいちばん求めているのは？

3 「価格で勝負」よりも「サービスで勝負」

営業会議などに出ていると、値段が高くて売れないという意見をよく聞きます。けれども、ほんとうにそうである場合はまれです。営業マンや自社の真の意味での実力のなさを価格だけでごまかしている場合が少なくありません。

もちろん、Q、P、SのQ（商品の品質）が悪ければどうにもなりませんが、他社と遜色のない商品を扱っている場合なら、価格が少し高くとも、S（サービス）がよければ売れることが多いのも事実です。

（価格で勝負するしかない「コモディティ」＝どこでも手に入る原材料のような商品に関しては、価格差だけでビジネスが決まることはもちろんあります。このような場合には「コストリーダーシップ戦略」といって、コストを下げるしかありません。もちろん、これも差別化で、大量生産をはじめとする規模のメリットなどを追求することです。しかし、このような場合でも、サービスが悪くてもだいじょうぶということではありません。）

「お客さまは、製品の不具合は少しなら許してくれるが、サービスの悪さは決して許してくれない」

とある社長が言っていましたが、まさに、そのとおりだと思います。

製品のスペックやデザインにそれほど差がないのであれば、お客さまはサービスの差で、どこから買うかを決めます。逆に、サービスが悪いことに対しては、よほど製品が差別化されているか価格が安いかのメリットがない限り許してくれません。あなたが顧客の側に回るときも、そうだと思います。

では、どのようにしてサービスで差をつけたらいいのでしょう？　それは、

小さな違いをたくさんつくる

ことです。接客でお客さまと目線を合わせる、来客を玄関先まで出迎える・見送る、ドアを開ける、お茶をこまめに取り替える、笑顔、電話にはすぐ出る……。

細かいことでたくさん違いがあると、人は「この会社は他社と違う」と感じます。小売業や飲食店なら、店の清潔さや明るさも重要です。お客さまは、新しさやインテリアのセンスよりも清潔さを気にする場合が多いものです。いくらおしゃれでも新しくても、隅々が汚れていたらだれでも不快に感じるでしょう（人間も同じですね！）。

小さいことに手間をかけるというのは、「紙一重の積み重ね」です。成功している会社や人を見ていると、みんな、

小さな努力を多く積み重ねています。

紙も一枚だけの差なら、○・一ミリくらいで違いは分かりません。ですが、コピー用紙の束を見ればお分かりのように、五百枚、千枚と積み重なれば非常に大きな差になります（別の本で同じたとえをお読みいただいている方もいらっしゃるかと思います。わたしの好きな比喩です。自分自身、このことをいつも意識して、小さな努力を積み重ねて、大きな違いを生み出したいと思っています）。

以前、ある会社の専務から、「ABC」という言葉を教わりました。

A＝あたり前のことを、B＝ばかになって、C＝ちゃんとやる

の略だそうです。

あたり前とは何かを知ることは結構むずかしいものですが、それを分かったうえで、あとは「手間をかける」ことでしょう。

よい会社は「お客さま」に手間をかけますが、ダメな会社は、お客さまには手を抜いて、「内部」に手間をかけています。

4 「客観的一番」よりも「主観的一番」

しょせん中小は中小、大企業には勝てない。一番にはなれない。ひょっとしたら、そう思っている方がいるかもしれません。そして、やっぱり会社は大きいほうが強いのだと。

ふうむ。

では、ちょっとここで質問します。

――日本で一番広い湖はどこですか？

そう、琵琶湖です。では二番目は？

――日本で二番目に高い山はどこですか？

実はこれ、以前、わたしが受けた質問です。分かりませんでした。正解は、霞ヶ浦と南アルプスの北岳なのですが、いったいどれだけの方が答えられるでしょう？

一番ならだれでも知っている。でも二番目は知らない。
二番手は覚えてもらえない。

これが現実です。たしかに一番でなければ意味がない。一番になれない限りどうしようもない？

では、次の質問ならどうですか？

――日本で一番の百貨店はどこですか？

講演のたびに、聞いてみました。すると、関西の人は高島屋だと言うし、東京の年配の方は日本橋の三越、若い人は伊勢丹、名古屋ではJR高島屋だと言います。友人の芸術家に聞いたら銀座の松屋だと言いました。ディスプレーが一番きれいだからだそうです。

さて、ここからが本題です。

山や湖は一番がひとつしかないのに、百貨店の一番がたくさんあるのはなぜか？

それは、山や湖は「客観的基準（高さや大きさ）」で質問しているのに対し、百貨店については「一番の基準」を回答者に委ねているからです。言い換えれば、

お客さまはそれぞれ、どの会社や商品を一番だと思うかを自分の「主観的基準」で決めている。


ここにこそマーケティングの重要なポイントがあります。

すなわち、意識するしないにかかわらず各人が、それぞれ「自分にとって」最適なQ、P、Sの組み合わせを持っており、その一番のところを「主観的に」選んでいるのです。

少々値段（P）が高くとも、商品の品質（Q）やサービス（S）がよいものを好むお客さまもいれば、Q、Sはそこそこでも Pが安いほうがよいと考えるお客さまもいる。巨人ファンがいれば阪神ファンもいるのと同じで、あくまでも「主観的」基準なのです。

規模などの客観的基準ではなくて「主観的一番」、それがお客さまが商品を選ぶときの基準です。

先に説明した「リレーションシップ・マーケティング」で一〇〇%のブランドロイヤルティや店舗ロイヤルティを持つ「支持者」となっていただくとは、この「主観的一番」を持っていただくことなのです。主観的一番ならよそを選ぶ理由がないからです。

ですから、

勝ち残りの大鉄則とは、
メインターゲットとするお客さまに主観的に「おたくが一番」と言ってもらえるQ、P、Sの組み合わせを提供すること

です。

これは、客観的一番をとれない企業がとる戦略という意味ではありません。そんなことはどうでもいい。お客さまが望む最適の**Q、P、Sの組み合わせを提供し続けようと思うこと、それこそが、「お客さま第一」の根幹だからです。**

もともと売上高などで客観的な一番をすでに持っている会社でも、**客観的一番は、必ずしも主観的一番ではない**ので、客観的一番を主観的一番に変える工夫を怠ってはなりません。

この場合、具体的には、多くのお客さまに買っていただいているという「安心感」を強みにアピールすることもできます（心理学的には「同調」を促すということになります。ほかの大勢がやっているのと同じことを行うことに、人は本能的に安心するのです）。

安心感というのも、主観的なポイントです。

わたしたちが何かを選ぶときには、主観的には、好きか嫌いかということが非常に大きなポイントとなります。**商品に対する「信頼感」、価格に対する「値ごろ感」、サービスに対する「安心感」、「心地良さ」、会社に対する「愛着」**など、たくさんの要素が、お客さまの心理に影響を与えるのです。

メインターゲットのお客さまの
主観的一番となる
Q、P、Sの組み合わせを提供する

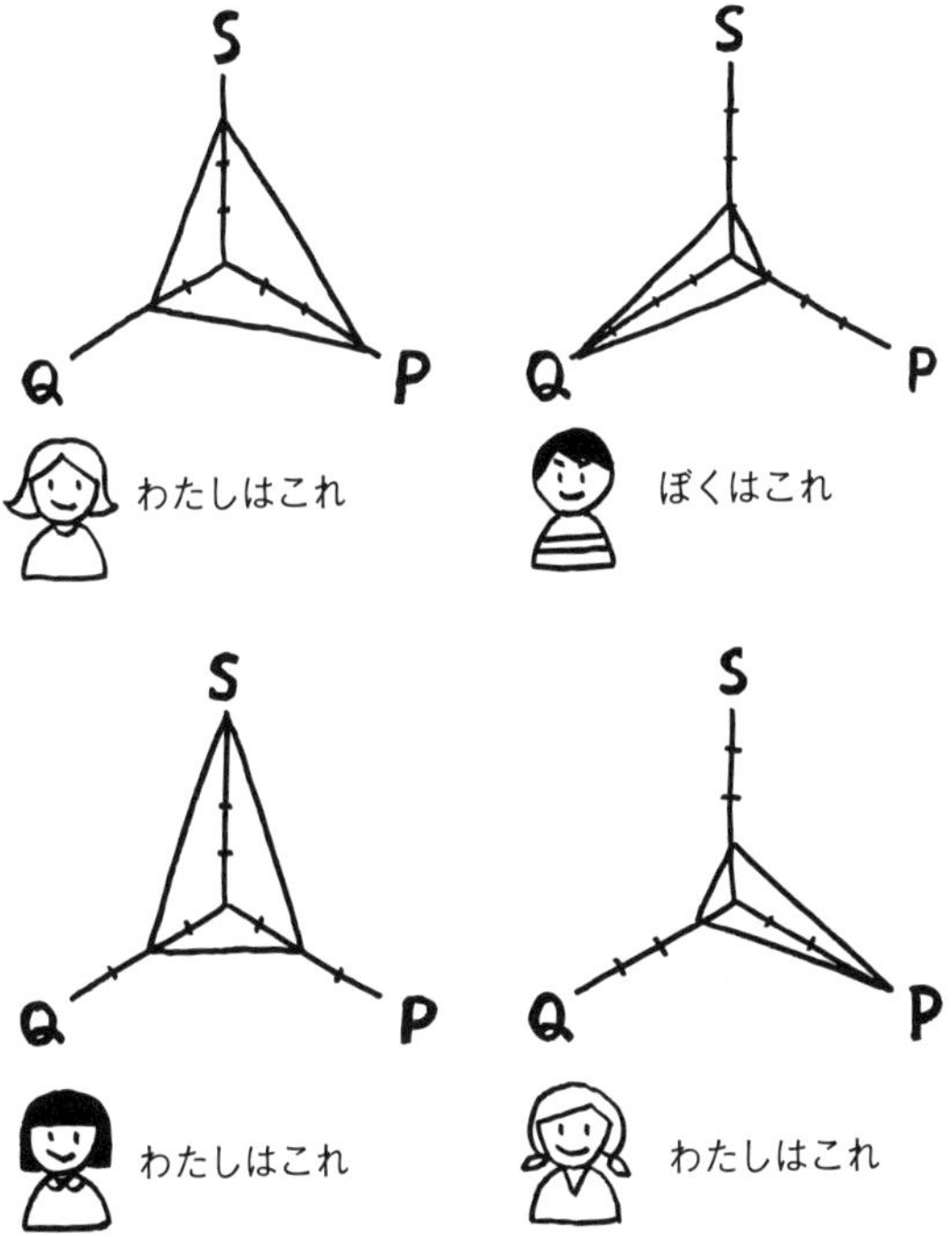

5 「コンピュータ」よりも「ハート」

病院関係者向けの講演で、「誕生日の患者さんが来られたら『お誕生日おめでとうございます』と言っていますか？」と質問してみたことがあります。案の定、聴衆の医師や看護師の大半がキョトンとした顔をしていました。

講演後、ある医師は「年寄りは誕生日のことを言われるといやがる」と、分かったような分からないような理屈を言ってこられましたが、そんな考えを持っているうちは患者さんが喜んでくれる病院になどなれないだろうなと思いました。

お客さまを十把一絡げに扱っていながら、「一生のお客さま」になってもらえたり、「この会社が一番」と言ってもらえるようになったりすることはありえません。

お客さまは、自分が特別に扱われることが好きなのです。先の医師だって自分が特別に扱われたほうがうれしいはずです。

したがって、お客さまに喜んでいただくには、**「あなたは特別」をまめに実践する**ことです。名前を呼ぶ、誕生日にカードを贈る、いつもちょっとしたひと言をかけるなど、何でもいい。それが特別をつくります。小さなことを積み重ねることが大切です。

「あなたは特別」をするのに、必ずしも、お互いを知っている必要はありません。

たとえば、わたしはふだん、朝八時前に会社のそばのコンビニへ行きます。たいてい同じ店員さんが店にいて、わたしがレジ袋を不要なことと電子マネーで決済するのを知っているので、何も言わずにその手続きをしてくれます。ほかの店員さんの場合にはいちいち説明しなければならないので、その店員さんだとうれしい。でも、お互いがだれかはいまだに知りません。これでも十分「特別」です。

こういう話をすると、「うちは何百万人もお客さまがいるから、そんなことは不可能」と言う方が必ず出てきます。でも、そんなふうに考えているから、**可能なことも不可能になる**のです！

コンピュータを活用すれば、数百万件のデータも簡単に扱えます。データベース・マーケティングやワンツーワン・マーケティングと呼ばれるものです。

実際、多くのお客さまがいる会社では、お客さま情報をたいていデータベースにしているようですが、残念ながらお客さまが喜ぶようにそれを使っている会社は少ないように感じています。

たとえば、わたしの家の近くにスーパーが二軒あって、両方ともポイントカードを発行していて、接遇もまずまずです。でも、いつも不満に思っていることがあります。

それは、せっかくポイントカードを発行して、こちらの名前や購買回数などが分かっているにもかかわらず、レジの最中に「小宮さまいつも有り難うございます」や「○○以来のご来店ですね」といった個別の会話をしないこと。カードをカードリーダーにかけているので、それらのデータを呼び出すことなど簡単なはずですが、どちらのスーパーでも行っていません。せっかく「あなたは特別」を行うチャンスがあるのに、その機会をみすみす逃しているわけです。

つまり、コンピュータシステムがあるから個別対応ができるわけでもなければ、ないからできないわけでもない。それは、システムの問題ではなく、資本の問題でもなく、「ハート」の問題なのです。

コンピュータを使わなくても、ハートがあればお客さまを喜ばせることはできます。

ずいぶん以前、新聞で読んだ話ですが、ホテルニューオータニのあるドアマンは、六千人の顔と名前を一致させて覚えていたといいます。新聞の切り抜きを集め、覚えたそうです。そして、顔を覚えているお客さまがいらっしゃったら、「〇〇さま、いらっしゃいませ」と言う。言われたほうはいやな気はしません。プライドをくすぐられます。それまでほかのホテルを使っていた人も、次回からはニューオータニに、ということにもなるでしょう。

大切なのはお客さまに喜んでいただこうという気持ちです。その気持ちがあれば、コンピュータを使わなくとも「あなたは特別」を行えます。

データをお客さまのために使おうという気持ちが大切なのです。それが「マーケティングハート」です。

モノやサービスを売るのも買うのも人間です。人が何か行動をするときには必ず「好き

か嫌いか」ということがついて回ります。そこで、

お客さまに好かれるにはどうすればよいか？

ということを常に意識して行動することがマーケティングの大原則です。そして、それは、

自分ならどうされたいか

を考えるところから始まります。

個人情報保護法が施行されてから数年たちます。法律の根本概念は「個人データは当該個人のもの」ということのようですが、ビジネスの現場ではそれを一歩進めて、「個人データは、当該個人の『ための』もの」と考えてはどうでしょうか。

個人情報保護のため「プライバシーマーク」を取得している企業も多いと思いますが、単にデータ保護だけの観点ならコストにしかならないものも、お客さまのためにデータを

使うという気になれば投資になります。そして、それは、お客さまにも、ひいては企業にも利益をもたらすこととなります。

要するに、企業の姿勢やハートの問題なのです。

6 「満足」よりも「感動」

ある社長がわたしに「当社のお客さま満足度はほぼ一〇〇％です」と自慢げにおっしゃったので、「それは、ほとんどのお客さまは、御社のことを八〇点だと思っているということですよ」と説明しました。

どこの会社でも、「CS（Customer Satisfaction ＝お客さま満足度）向上運動」をやっていることでしょうし、前の章でも書いたように、「お客さま満足度」を高めることはとても重要です。けれども実は、それだけでは十分ではありません。

お客さまが「満足」されているというのは、一〇〇点ではなく八〇点なのだと思います。少なくとも社内ではそう考えているべきです。

それでは一〇〇点をいただくにはどうすればよいか？

それは、「感動」です。CS運動を行う場合には、

「満足」より上に「感動」がある

ということを認識しておくことです。そうでなければ、「満足」に自己満足する会社で終わってしまいます。

では、お客さまに感動してもらうにはどうしたらいいか？

感動は、期待していた以上のことが起こった場合に生じます。

「満足」は、ただ期待していたとおり、ということにすぎません。

あなたは感動したらどうしますか？　わたしなら人に話したくなります。つまり、「リレーションシップ・マーケティング（七四ページ参照）」で説明した「代弁者」になってもらえるわけです。

これに対し、満足しているお客さまは喜んで代金を払ってくれるし、継続して買ってくれるでしょうが、それではせいぜいうまくいって、「支持者」止まりです。

あなただって、単に満足しているだけでは人に話したりはしないと思います。いま、わたしはこの原稿を新幹線の中で書いていますが、時間どおり正確に運行して期待どおりの乗り心地でも、わざわざそれを人に話したりはしません。でも、隣の席に芸能人でも座っていたら、家に帰ってすぐに家族に話したくなるでしょう？

こういう話をすると、「やっぱりマニュアルどおりのサービスはいけないんですね。マニュアルでは感動は起こせない」とおっしゃる方がいますが、必ずしもそうとはいえません。ディズニーランドはマニュアルどおり行われていますが、その徹底ぶりに、何度行っても感動します。

わたしは、海外出張する機会も多いのですが、滞在が比較的長くなったあとに、現地の空港で帰りのＪＡＬ便に搭乗する際、「お帰りなさいませ」と客室乗務員に言われて、「じーん」ときたことが何度もあります。マニュアルどおりの対応だと分かっていても。

適当につくったマニュアルを適当に実行しているのでは、お客さまは満足すら感じませんが、**マニュアルも、お客さまの気持ちになって「ハート」できめ細やかにつくり、徹底させれば、感動を呼び起こせます。**

お客さま志向を徹底するところから感動が生まれるのです。

「満足」より上に「感動」がある

7 「商品開発」よりも「認知の努力」

ビジネスの素人が最初に考えるのが、「よい商品なら売れる」ということです（わたしも本については素人でした。よい本なら売れるはずだと思っていましたので。売れないのはそのよさが分からない読者が悪い、とまでは言いませんでしたが……。でも、いまでもそう思っている著者や出版社の方は少なくないと聞きます）。

それは文字どおり、素人考えです。いくらよい商品でも、お客さまは、知らないものを買いたくとも買えない。認知の努力が必要です。

ここで一般的なのは、「ＡＩＤＭＡ」です（拙著『ビジネスマンのための「解決力」養成講座』では、『天橋立』を例に詳しく書きました）。

① Attention（注意）

②Interest（興味）
③Desire（欲求）
④Motive　または、Memorize（欲求の高まり、または記憶）
⑤Action（行動）

の頭文字で、お客さまがモノやサービスを購入するときの順番です。
①ある商品に注意がいき、②それに興味を持って、③さらにそれをほしくなる。そして、④欲求が高まって（あるいは記憶され）、⑤購買という行動に至る、というわけです。
このＡＩＤＭＡは、モノが売れない原因を考える道具として役立ちます。お客さまが商品を眼にして購買に至るまでの流れのなかで、いったいどこが途切れているか？　を考えるわけです。

一般に、新興のベンチャー企業が、新しいコンセプトの商品・サービスを世に出す場合は、最初の①Attention（注意）が、最大のハードルとなります。知ってもらえさえすれば、その商品に興味を持ち、ほしいという欲求を持ってもらえるだろう、けれども、知ってもらうには、営業活動や広告・広報活動が必要で、それにはそれなりの資金が必要です。もちろん、ほんとうにいいものなら、放っておいてもいずれ売れるかもしれませんが、それまでに長い時間がかかります。特に、ベンチャー企業は時間（＝お金）との競争ですから、そんなに時間をかけていては、売れはじめる前に、資金がショートし倒産してしまいます（本の場合は、棚にほとんど並ばないうちに、ひっそりと返品されてしまいますね）。

もちろん、認知の努力だけでは不十分です。それは、必要条件。十分な販促活動をお金をかけて行い、十分に周知させた、でも、興味やさらにその上の欲求にまで至らない商品は少なくありません。お客さまは、商品やサービスが自分のニーズに合っていないと買ってくれません。むしろ、ＰＲや人気だけで売るのは「インチキ」です。

そのような場合には、ターゲットとする顧客層に実際に合っているかどうかのマーケティングリサーチや、それを踏まえた商品の「Ｑ（品質）、Ｐ（価格）、Ｓ（その他）」（七六ページ参照）の修正、さらに、４つ（あるいは５つ）のＰ（八〇ページ参照）の見直しが必要となります。

マーケティングリサーチというと、何か大上段に構えた調査を行わなければならないような気になりますが、本来は、「お客さま第一」でお客さまの声を真摯に聞くことです。

また、欲求も十分あるのだけれど、それが購買に結びつくほどの高まりとはならない、という場合もあります。たとえば、「ほしいけれども手が届かない」という商品です。こういう場合には、ローンを組めるだとか、高級車でやっているような下取り価格を高く設定したリース（トヨタ自動車などが最近やっている三年分だけ買いませんか？　などといった戦略）で、欲求を購買まで高める方法があります。これは「工夫」です。

このＡＩＤＭＡはマーケティングのひとつの考え方で、こういうものを「アプローチ（方法論）」といいます。アプローチとは、問題解決のための道具です。

道具があれば、問題を解決しやすいものです。自社商品に関して、実際にどの段階で売れないかなどを、道具を使って問題分析すると、意外と問題点が明確になることがあると思います。

8 「クレームゼロ」よりも「クレーム発生」

ひょっとしたら、あなたの会社でも「クレームゼロ運動」をやっているかもしれません。

でも、「クレームゼロ運動」と、「ミスゼロ運動」ないしは「事故ゼロ運動」とでは根本的に違います。そして、

ミスゼロ運動をやることは正しいが、
クレームゼロ運動を行うことは正しくありません。

というのも、クレーム発生に対しては、ただちに対応することが大原則なのに、クレームゼロ運動をやっていると、「クレームを報告したら叱られる、みなに迷惑をかける」という認識から、どうしても、それを報告しないことが起こってしまうのです。

お客さまは、クレームを申し立てた時点でも頭にきていますが、それを会社が握りつぶ

して何も対応しないとなると、もう許してはくれません。二次クレームが発生します。

クレームはいやなものです。わたしの小さな会社でもときどきクレームを頂戴しますが、社長としてあまり気分のよいものではありません。でも、クレームに誠心誠意対応したおかげで、一生のお客さまとなってもらえることも少なくないのも事実です。

「クレームが発生することよりもクレームのないことを恐れたほうがよい」ということを昔ある社長から教わりましたが、そのとおりだと実感しています。

これは、ひとつにはクレームを握りつぶしてしまうことの恐ろしさを語ったものですが、それより恐ろしいのは、感性が麻痺していて、クレームをクレームと感じない人たちがいるということです。そもそも、クレームだという認識がなければ、それに対応しようがないわけですから。

電話であろうと対面であろうと、「すみません」と謝ったことはすべてクレームだと考えることです。クレームを適当に「ごまかす」、「かわす」のが、できる社員だと考えているような会社ではお客さまが離れていくばかりです。

また、クレーム対応で大事なのは、そのクレームを

自分が思っているより一〇〇倍たいへんなことと思って対応する

ことです。お客さまは、たいへんなことだと思うからクレームを申し立てているのです。ある会社の調査だと不満に思っているお客さまのうち、四%程度しかそれを申し立てないといいます。ひとつのクレームの後ろには、同じ不満を持つ二十五人の人がいると考えるべきでしょう（同じ調査では、クレームに真摯に対応したお客さまからの売上は、その後、上がっているということでした。逆に、クレームを申し立てたかったが、あえて言わなかったお客さまは、その後ほとんど取引を増やさないかやめてしまっているとのことです）。

ただし、「クレーマー」への対応は異なります。「お客さま第一」と言ってもなかには、「言いがかり」をつけてくる人もいます。慎重に判断することが必要ですが、言いがかりであることが明らかな場合には、毅然と対応することが必要です。クレーマーに対して言いなりになっていると、担当している人たちがつぶされます。そのような場合には、弁護士、

場合によっては警察と相談してもよいでしょう。

これに関連して、「お客さま第一」の基準づくりも必要です。何でもお客さまの言いなりになることがお客さま第一ではありません。例外はあるのです。ひとつは「法令違反」です。お客さまに頼まれても、法令違反は厳禁です。絶対にやってはいけません。

さらに、「ほかのお客さまの迷惑になるお客さま」も例外です。自分だけ先にやってほしい、自分だけタダにしてほしい。それでは、ほかのお客さまが犠牲になります。

ただ、例外をあまり広げすぎると、「お客さま第一」はできなくなります。例外はあくまでも例外で、他社でやれることなら自社でも必ずやるという気持ちも重要です。

最後に、クレームに関してもうひとつ。先にも触れましたが、わたしがクレーム「対応」という言葉を使っていることにお気づきでしょうか。

クレーム「処理」という言葉を使う会社が少なくないようですが、クレームは「処理」するものではなく、「対応」するものです。クレームを事務のように「処理」されては、お客さまはたまったものではありません。本書の最初の章でもお話ししたように、「お客さま第一」を徹底させるうえでは、こうした「小さな言葉遣い」が大切です。

まとめのチェックリスト

社長力3

ヒューマンリソース・マネジメント力

何が人を動かすのかをほんとうに理解しているか？

1　「新規事業」よりも「人材育成」

武田信玄で有名な武田節に、「人は石垣、人は城」というくだりがあります。まさにそのとおりです。ある会社の経営計画書に、「五年後を支えるのは新規事業、十年後を支えるのは人」とあるのも同じでしょう。この経営計画書は、「人こそが最大の財産と考えて、採用、教育を行わなければなりません」と続きます。

現代の経営を見ていると、多くの会社で、あまりに戦略志向に偏っており、人材育成の大切さが軽視されているように思えてなりません。頭でっかちで、経営など実際にはやったことのないコンサル（失礼！）を入れるのが流行っているからか、**戦略さえ正しければすべてがうまくいくという、頭だけで経営を考える風潮が強まっている**ように思います。

戦略はもちろん企業経営の「必要条件」ですが、人が動くことが「十分条件」です。

人こそが企業の基盤です。適切な人材がいなければ、どんなに優れた戦略も十分には機能しません（いま「適切な人材」と書きましたが、これについては、次項で詳しく説明します）。

生前、松下幸之助さんは、「松下電器（現パナソニック）は何をつくっている会社かと尋ねられたら、人をつくっている会社です、あわせて電気製品もつくっています、と答えなさい」と言ったそうです。よい会社は人を育てているのです。

とはいえ、教育はすぐには効果が出にくいものです。経営者も投資家も短期的な利益を求める風潮が強いなか、人の教育に時間とお金をかけるには勇気がいります。でも、立派な経営者は、

人を育てることが結局は企業業績をよくすることであり、
有為な人材を育てることが大きな社会貢献である

と考えているのです。その度量の大きさが、ちまちまと自社の短期的な業績を求めている経営者より、結局、企業を発展させるのかもしれません。

ある会社では、新卒採用者には入社半年前から会社の基本方針などの教育を数日間の泊り込みで行っています。「鉄は熱いうちに打て」ということですが、そうした地道な努力が、遠回りに見えても結局は会社をよくする近道となります。

ちなみに、人に関して松下幸之助さんは、「各人が店主だと思え」とも言っています。各人、自分がそれぞれ独立して商売していると考えよ、というのです。**企業という組織に属していても人に依存せず、独立心を持って行動するべきだ**ということです。

これは、自分勝手に行動するべきだと言っているのではありません。一人ひとりが自分が店主だという気持ちになって、仕事や採算に関して責任を持って働くことが重要ということでしょう。

サブプライム危機後、日本でも「派遣切り」などが大きな問題となり、また、派遣社員だけでなく、正社員の雇用もおぼつかない企業が増えるなか、「人」についての考え方があらためて問われる時代となっています。

わたしの人生の師匠である曹洞宗の藤本幸邦老師は、「経済は人を幸せにする道具」とおっしゃっていますが、道具である経済や企業に、人が振り回されては本末転倒です。

長期的には年功序列の終身雇用制度の維持がむずかしくなり、働く人の意識も多様化しているなか、いろいろな意味で考えなければならないことです。

2 「スキル」よりも「価値観」

スタンフォード大学の元教授、J・C・コリンズ氏の『ビジョナリーカンパニー2』（日経BP社刊）は、『ビジョナリーカンパニー』（同）とともに名著です。よい経営を志す人は、一度は読まれることをお勧めします。

『ビジョナリーカンパニー』は、ビジョンや理念がしっかりした会社のほうが、金儲けだけを目指していた会社よりも、結局経済的にもうまくいっている事例を多く示し、『ビジョナリーカンパニー2』のほうは、長い間業績がパッとしなかったのに、あるときを境に業績が向上し、それが長く続いた会社の特徴を分析しています。

その特徴のひとつに、**「適切な人をバスに乗せる」**というのがあります。

「適切な」というと、スキルのある「即戦力」を想像するかもしれませんが、そうではありません。**「熱意や職業観、倫理観」といった基本的な価値観が一致する人を会社というバスに乗せることが大切**だというのです。何をするかはそのあと、考える。つまり、

考え方をいっしょにする人をバスに乗せてから、自らの強みを生かせる行き先（戦略）を考える

会社のほうが、先に戦略ありきの即物的な会社よりも結果的にうまくいっているというのです。

たしかに、自分の小さな会社も含めて多くの会社を見てきましたが、そこで働く人の価値観が合っているかどうかがいかに大切かは、日々、痛感することです。

価値観の対立は、結局、組織を空中分解させてしまうのです。

もちろん、戦略は「方向づけ」ですからそれを誤ることは致命的です。しかし、それを行う人たちの気持ちや価値観がバラバラでは、十分な力が出ません。また、価値観が統一されていたら、戦略を行うときにも気持ちが一致し、修正も比較的容易に行えるはずです。

「適切な人をバスに乗せる」とはすなわち「採用」です。「採用」がつくづく肝心だと思います。採用後の教育に時間をかけて価値観を統一させようとすることよりも、**もともと価値観の合った人を採用するほうがずっといい。**

また、採用の際、「価値観」と並んで見極めなければならないのは、「先天的」な性格だと思います。「明るさ」、「素直さ」といったものは、いくらあとから教育しても身につきません。明るさはチームを生き生きとさせますし、お客さまにも喜ばれます。素直でさえあれば、価値観を教えることもできるし、スキルの習得も早いでしょう。

曲がった枝を矯正するよりは、まっすぐな枝を最初から選んだほうがよい。

「スキル」はそこそこの「地頭」があれば、あとで身につけることができますし、場合によっては専門家をお金で雇うこともできますが、先天的な性格はあとからではむずかしい。お金で解決できるものとそうでないものを区別することは、経営だけでなく人生においても、重要です。

価値観をともにする人を
バスに乗せてから行き先を考える

3 「和気あいあい」よりも「切磋琢磨」

はじめてリーダーになった人が犯しがちな大きな間違いのひとつ、それが、組織を「和気あいあい」にしようとすることです。たくさんの企業を実際に見てきて、そう思います。

もちろん、組織のチームワークがとれて仲がよいのは悪いことではありません。けれども、「和気あいあいでがんばろう」などと言っていると、組織はどんどん力が出なくなります。

なぜなら、和気あいあいを優先すると、

もっとも実力のない人に組織のペースを合わせることになる

からです。家族なら和気あいあいがいいでしょう。子どもやお年寄りのペースで動けばいい。けれども、組織は、役所でもない限りパフォーマンスを出してこそ維持できるのです。

さらに、和気あいあいの組織がよくないのは、意見が出なくなることです。どうしてもほかの構成員の顔色を見ることになります。お客さまや組織全体のために建設的な意見であっても、「言わないほうが無難」ということで対立を避けようとしがちです。そうやってだんだん、言わなければならないことも言わなくなります。つまり、全体が「内部志向」になってしまうのです。

また、社員のだれかが勉強しようと思ったときにも弊害となります。自分は仕事が終わったあと勉強しようと思っても、和気あいあいの組織では、「飲みに行こう」という誘いを断りにくい。優先順位が内部だからどうしても「出る杭は打たれる」的風潮が広まることもあります。

さらに、こうした風潮がさらに進むと、お客さま無視ともなりかねません。内部を重視するあまり、お客さまの声を無視したり、「これを伝えるとだれかが困る」と思って、クレームを握りつぶしてしまったりするのです（役所ってそうですよね）。実際、そういう「いい人」たちが会社をおかしくしている例をたくさん見てきました。

こういう会社に共通するのは、実力のない人が管理職になっていることです。

実力のないリーダーは組織を和気あいあいにしたがる

のです。対立を処理する能力がないし、自分の無能力を和気あいあいでカムフラージュしようとするからです。実力のない人にとって、和気あいあいは楽だからです。

リーダーだけでなく、実力のない一般社員も和気あいあいを好みます。仕事ができなくてものけ者にされないですむし、そのほうが楽だからです。**みんなが必死で働くような職場では、実力のなさが露呈し、居場所がなくなる**でしょうから。

みなが足を引っ張り合うのがよい職場だと言っているのではありません。それは最悪の組織です。みなが協力するのはよいことです。でも、その協力の仕方は、

「和気あいあい」ではなく、「切磋琢磨」

なのです。つまり、「あの人もがんばっているから自分もがんばろう」ということです。

それが正しい社風だと思います。

お客さまや会社、さらに社会、そしてもちろん自分のために、お互いに刺激し合って、さらに向上していくという機運に満ちた会社です。


もし、あなたの会社が和気あいあいに傾いていたらどうするか？

「お客さま第一」で、いまやっていることを見直すことです。そうすれば、自然に、外部志向になります。外部志向の会社では、お互いの顔色をうかがっている暇はありません。求心力が「お客さま」にあるからです。社内のだれかにあるのではないからです。

足を引っ張り合うのもお客さまのためにならないことだと分かります。お客さまを求心力にし、切磋琢磨の社風をつくり上げると、自然にチームワークも芽生えます。

ここまで会社を育て上げるのは並大抵のことではありませんし、その状態を維持し続けるのも、むずかしいものです。経営者のたゆまぬ努力が必要です。しかし、経済情勢が厳しいときでも業績が安定しているのは、こういう社風を持った会社です。

4 「横並び」よりも「信賞必罰」

「信賞必罰」と聞くと、「そんなの厳しそうでいやだな」と思う人もいるかもしれません。それは、信賞必罰のうちの「必罰」のほうばかりに目がいってしまうからでしょう。でも、信賞必罰の趣旨は、厳しさを求めることではありません。むしろその逆で、「しっかり働いてくれる人に報いる」ということです。それによって、働く人が「もっとがんばろう」と思ってくれるからです。

それはそうでしょう。しっかり働いているのに報われないとしたら、しっかり働く人はアホらしくなってしまいます。企業にとって、しっかり働いてくれる人は、ほんとうに貴重です。逆に言えば、働かない人を働かせるために罰するなんて、暇な会社のやることです。**そんな暇があったら、がんばって働いてくれている人の待遇や環境をよくすることに注力すべきです。**

（ちなみに、ダメな会社とは、しっかり働く人がアホらしくなる会社です。そして、ダメな会社は、できる人から辞めていきます。アホらしいから。よい会社は、働かないでプラプラしている人がいづらい会社です。会社は働きに来るところだからです。もちろん、病気などの理由で働けない場合には、面倒を見るセーフティネットも必要です。）

でも、一方で、なかにはがむしゃらに働き続けることにどうしてもなじまない人がいるのも事実です。実際のところ、全員が全員、野心的でがむしゃらに働くことに生きがいを感じる、という会社は見たことがありません。価値観の違いというのはたしかにあります。

わたしは、理想の組織は「ドイツのアウトバーン」だと思っています。そこでは、中央車線は時速無制限です。二五〇キロで走ってもかまいません。でも、外の車線は違います。外に行くほど最高速度が抑えられています。つまり、自分のとりたいリスクで走れるのです。

時速二五〇キロで走る人は一時間後には二五〇キロ先にいる。その代わり、リスクも高まる。コストもかかる。それなりの装備も必要です。時速一二〇キロで走りたい人もＯＫ。リスクやコストが抑えられる。しかし、一時間後には一二〇キロ先にしかいない。

信賞必罰とはこういうことだと思います。つまり、

準備し、リスクをとってがんばった人が報われる

ということです。

一方、ダメな組織というのは、日本の高速道路みたいなものです。**時速一〇〇キロ出すのが精いっぱいの軽トラックの後ろを、高性能の車が十分な性能を発揮せずに走っているのです。**軽トラックも後ろからせっつかれて危ないし、高性能車も実力が出せずにいらいらして、こちらも危ない……（「高速道路ならまだましなほうで、うちの会社なんか渋滞している一般道だ」と思った方もいるかもしれません）。

走りたい人を思いっきり走らせてやれる環境をつくるのがリーダーの仕事です。

しつこいようですが、会社はパフォーマンスを出さなければ生き残れません。外に向け

てパフォーマンスを発揮し、よい商品やサービスを提供することにより、社会に貢献することこそが、会社の存在意義の第一です。それなくしては、雇用も株主還元も納税もできません。

ですから、組織として最高のパフォーマンスを出す仕組みを持たなければなりません。が、かといって働く人の幸せを無視してよいものでもありません。そのための仕組みが「信賞必罰」なのです。

結果だけですべてを評価する必要はありません。結果を出すためのチームワークや雰囲気づくりも評価する必要があります（「三六〇度評価」などが有効な場合もあります）。

そして、大きな差をつける「評価」である必要もありません。

ただ、これだけは知っておくべきでしょう。

人は、がんばった分だけ評価されると分かると働くものなのです。

がんばってくれていることを何らかの形で表さなければ、がんばっている人はやる気をなくします。

5 「努力賞」よりも「メジャラブル」

ある会社の役員会に参加していたときのこと。

役員のひとりが、「今年の目標は会社の知名度の向上です」と発表したところ、投資家を代表して役員会に出席していた取締役から、「それは方針であって目標でないので不十分だ」と指摘されました。

もっともなことです。「会社の知名度の向上」だけでは、「今年」の最後に、「がんばりました」というだけで終わってしまいます。大切なのは「どこまで」がんばったかです。

その後、その役員からは「ネット検索で同業中で○位以内」と目標が訂正されました。これなら達成したかどうかがはっきりします。

わたしは多くの企業研修や役員会に参加しますが、「方針」は立てるものの「目標」に落とし込まない会社が多いのには、いつも驚かされます。

方針とは方向性です。「市場シェアを上げる」、「人材を育成する」などです。方針が重要なことはいうまでもありません。これが違っていてはどうにもなりません。けれども、それを実現するうえでは目標こそが重要です。目標とはすなわち、その「方針」を具体的な数値に落とし込んだものです。これがなければ、どこまでやらなければならないかが分からなくて、「がんばっています」の努力賞ばかりの組織となってしまいます。

測定可能なことを「メジャラブル（measurable）」といいますが、**目標はメジャラブルなものでなければなりません。**そうでなければ、やったかやっていないかがはっきりと分からないだけではありません。

メジャラブルな目標を適切に設定することで、最後までやることが重要だという問題意識が会社全体に共有されます。

このとき、無理な目標を立てては逆効果です。このあたりのさじ加減がリーダーの腕の見せどころ、というわけです（GEの「ストレッチ予算」が参考になります）。

以前、『ビジネスマンのための「数字力」養成講座』でも書きましたが、別の会社の役員会に出ていたときのこと、ある部長が「○○会社と提携できました」と、自社よりもずっと格上の会社との提携を自慢げに発表しました。努力賞が認められやすい社風の会社だったので、役員会の参加者からは賞賛の声があがりました。

ところが、他社出身で一代で一部上場企業をつくり上げたベテランの顧問が「それでいくら利益が出るの？」と質問したところ、その部長はばつが悪そうに「数百万円です」と答えました。それは、その会社の規模からすると決して大きな数字ではありませんでした。

利益を出すだけでなく、「いくら」出すかが重要です。

目標を曖昧にしていると、
努力賞を評価して結果が出ない会社になってしまいます。

6 「規制」よりも「自由」

ずいぶん前のことになりますが、顧客企業とアメリカ企業との業務提携交渉のお手伝いで、ニューヨーク郊外にある相手企業を何度か訪ねたことがありました。

交渉相手のその企業は全米で大きなフランチャイズチェーンを築いていたので、その交渉が無事成立した後、相手の社長に、「フランチャイズシステムがうまくいくコツは何ですか？」と尋ねてみました。

すると、彼の答えは、「犬のひもですよ」でした。

「？」何のことか分からない表情をしているわたしに、彼は次のようなことを話してくれました。

犬を散歩に連れて行くときに使うひもで、リールになっていて、ボタンを押すとそのリールが巻き戻せるものがあります。犬が飼い主の思っている方向やスピードで進んでいるときには、そのリールを緩めてどんどん行かせてやればよい。犬は自分の意思で自由に進んでいると思っている。飼い主もひもを手放しているわけではない。犬も飼い主も楽な状態です。

しかし、犬が飼い主の意思に反して違う方向に向かったり、速いスピードで走り出したら、ボタンを押してひもを巻き戻す。場合によっては、近くまで犬を引き寄せて、犬に分からせるために引き倒す必要があるかもしれない。

フランチャイザーとフランチャイジーの関係もそれに似ている、と。

本来、フランチャイジーになる人はサラリーマンと違って独立心の強い人です。エネルギーレベルも高い。だから、フランチャイザーの方針に従っている間は、できるだけ自由に行動してもらったほうが成果も出るし、お互いにハッピーです。ただし、方針に従わない場合は大いに抗議するし、場合によっては資格剥奪もありうるというわけです。

この話を聞いたとき、わたしは、これはフランチャイズシステムにとどまらず、人を動かすコツだなと思いました。

人は元来自由が好きです。**方針に従っている間は、細かいことは言わずに自由に動いて**

もらったほうがよい。本人もそのほうがハッピーです。自分でやったと思ってもらったらよいのです。そうすれば、どんどんがんばります。

けれども、方針に従わない場合には厳罰で対応します。そうしないと、その人もろとも、組織が傾きます。お客さまもほかの社員も、不幸にします。

ところで、「管理されたほうが好き」という人も少なからずいることは知っています。でも、そのようなあまりに**「飼いならされ」すぎた一部の人のために、全体を管理型にするなどというのは本末転倒**だと思います。人は、ある年齢まで飼いならされすぎると、動けなくなるのも事実です。そんな人たちばかりだと、上の顔ばかりを見る実力のない人たちの集まりになります。くれぐれもそんな組織をつくらないでください。

方針や基本的な考え方の枠組の中で、働く人が存分に力を発揮できる組織が理想です。そのためには、「お客さま第一」などの基本的考え方を常に徹底し、その考え方を基準に自分で判断して動く社員を育てていくことです。

7 「意識改革」よりも「小さな行動」

多くの会社で、「社員の意識改革」というのが、方針やスローガンに掲げられています。もう何十年も掲げられてきていると思います。もちろん、働く人の意識が向上するのは望ましいことです。けれども、現場で会社を見れば、そう簡単に実現できるものではないことは明らかです。

もともと、方針やスローガンに掲げるには無理のある目標だともいえます。社員の意識がよいほうに変わったかどうかというのは、先に説明した「メジャラブル」ではありませんから。「がんばってます」と言われると、経営者といえども、もうそれ以上何も言えなくなってしまう……それでは会社がよくなるかどうか分かりません。

でも、このスローガンには、もっと根本的な問題があります。それは、

お客さまは社員の意識改革などべつに望んでいない

ということです。お客さまが望んでいるのは、よい商品やサービスです。つまり、実際のモノや行動です。「意識改革のできた社員」が、電話が何回鳴ってもとらない、というのでは意味がありません。お客さまとしては、意識改革してくれるよりも、気持ちよく挨拶をしてくれるほうがよほどうれしい！

メジャラブルという観点から言ってもそうです。そんな「意識改革」よりも、電話を三コール以内にとるとか、お客さまを玄関先まで見送るといった、やっているかやっていないかがはっきりする行動を変えるほうが、よほど社内の雰囲気を変えられます。やっていない人にプレッシャーをかけられるし、何をやればよいかがはっきりするからです。

（電話応対や挨拶などの基本動作について言えば、近頃はダイヤルインになっている企業も多いようですが、ある大企業の部長に電話したところ、先方の部長が「もしもし」とだけ返答しました。社名を名乗るわけでもなく、「もしもし」と言ってそのまま待っているわけです。家の電話ではないんですよ！　有名な大企業でもそんなありさまです。）

わたしは意識改革を否定しているわけではありません。ただ、経営の現場ではそんなことを悠長に待っている暇はないのです。お客さまは、その場その場の社員の行動でその会社のよし悪しを決めているのです。

剣道や茶道でもまず、形から入ります。基本動作や作法から覚えます。それを繰り返しやっているうちに、その「心」が分かり、意識が変わってくるのです。

したがって、行動を変えるには、基本動作を繰り返すとともに朝から環境整備するなど、実際に、**身体を動かすことも有効**でしょう。

「そんなの時間のムダだ」と言う人もいますが、

自分の机やゴミは自分で片付けるといった基本的なところから、
ほんとうの経営は始まる

と、つくづく思います（このことに関連して、決められた行動をとらない社員をリーダーが厳しく叱れるか、という課題があります。「社長力5　リーダーシップと人間力」の章の『『甘さ』より『厳しさ』』（二〇五ページ）を参照してください。できれば、いますぐ読んでください）。

さて、この「小さな行動を変えさせる」方法をもうひとつお話ししておきましょう。それは、人にやってもらいたいこと、やってもらいたくないことは、**言うより書いて渡したほうが有効**だ、ということです。

「何度言ったら分かるのだ」と言っている本人だって、「何度言われても分からない」のが現実です。**「理解は偶然、誤解は当然」**と思って、コミュニケーションを高める努力が必要です。

「言ったか、言っていないか」というような不毛な議論をするよりは、書いてあることを「やったか、やっていないか」というふうにしたほうがずっと建設的です。

厳しいようですが方針に従わない人に辞めてもらうときも、文書で示した基準があったほうが、「言った、言わない」よりずっと説得しやすいものです。

それでは、具体的には、どういうことを書いて渡せばよいのでしょうか。

ある会社の例では、「お客さまに関する方針」、「環境整備に関する方針」、「利益に関する方針」、「新規事業に対する方針」、「クレームに対する方針」などの項目ごとに、具体的に従業員にやってほしいこと、やってほしくないことを定めています。

具体的には、「電話は三コール以内にとる」、「電話に出たら、『有り難うございます。○○会社△△部、☆☆です』と受ける」といったように、細かいところまで規定しています。クレームに関しては、「直ちに上司に報告し、何をさておいても対応する」といった具合です。

ただ、紙を渡すだけでは十分な効果が出ない場合も多いのが現実です。それを繰り返し読む機会を提供するとよいでしょう。朝礼などで、毎日一ページずつでよいから、だれかが順番に当番になって読んでいく。毎日それを繰り返す。また、会議などの機会があるごとに、その内容について具体的にみなで話し合うといった具合です。

それにより、会社では何をするべきか、何をしてはいけないかが、ゆっくりかもしれませんが確実に、みなに浸透していくものです。これこそが「意識改革」です。そうした地道な手間をかけることにより、少しずつ会社は変わっていきます。

いま、「そんなことで効果があるのか」などと思ったあなた！　そう思っている間は、まだ頭で経営を考えている段階です！　頭で水泳の泳法を考えているだけで泳げるようになると思っているのと同じです。ほんとうの経営者ならお分かりでしょう。

経営は実践であり、行動なのです。

8 「意味」よりも「意識」

メールのおかげでずいぶん便利になりました。ビジネス上のメールでは、通常、起こったことの説明や、やってほしいこと、やってほしくないことなどの「意味」を伝えます。「意味」を伝えるにはほんとうに便利なツールです。でも、ここに落とし穴があります。

「意味」が伝わるには、大前提があります。たとえば、同じことでも「Aさんから言われたことならやるが、Bさんからならやりたくない」というようなことはだれにでもあるはずです。「意味」としては同じことを言われていても、相手によってやる場合とやりたくない場合があるということです。

人間は感情の動物ですから、好きか嫌いかということが先にくる場合も少なくありません。別の言い方をすれば、

「意味」を伝えるためには、その前提として「意識」の共有が必要

なのです。意識が共有されていれば、少々の無理でも聞いてもらえます。メールを打つにしても短い依頼文ですみますが、逆に意識を共有していない相手に何かを依頼したり連絡したりする場合には、長い文章が必要なばかりか、見てもらえるかどうかも分かりません。

心理学の言葉に、「心理バリア」というのがあります。人はだれに対してもこの心理バリアを持っていて、心理バリアが低い相手からの要望なら少々無理なことでも聞き入れるが、心理バリアが高い相手に対しては、その内容がよいことでも聞かなくなるのです。

意識を伝えるには、ふだんの挨拶やちょっとしたことでひと声かけるなども大切だし、「飲み会は時間のムダ」と思わずに積極的にコミュニケーションをとることも必要です。

そして、「意識」が通じて、お客さまや部下とのコミュニケーションを「楽しめる」と、仕事がすごく楽しくなります。職場が「意味」だけの関係だと殺伐とします。

人生の一時期をたまたま同じ職場で働くというのは、少なからぬ「ご縁」があるのです。そのご縁のある仲間と意識が通うなんて、ほんとうにすばらしいじゃないですか。そのためには、「意識的に」意識を通わせるためのことをするべきだと思います。

9 「報酬」よりも「誇りと信念」

生保会社のトップセールスレディのなかには、億単位の収入がある人がいるそうです。とはいえ、大半のセールスレディはその一〇〇分の一くらいしか稼げません。彼女たちの給与の大半は歩合ですから、給与の差はすなわち売上の差です。

わたしはこの話を聞いたときにたいへん不思議に思いました。同じ会社の看板を背負い、同じ商品を扱って、同じ時間が与えられて、どうして売上が一〇〇倍も違ってくるのだろうと。

あるとき、某生保のトップセールスレディと話す機会があって、その秘密を知りました。その人は、「ほかの人から買うより自分から買ったほうがお客さまが得をする」と心の底から信じていたのです。

そのとき、わたしは、彼女の営業活動はある意味「親切」なのだなと思いました。

多くのセールスレディがノルマを課せられ、「やらされている」と考えて働いているのに、彼女やほかのトップセールスは、商品と自分の仕事に誇りを感じて働いている。だから、やる気もエネルギーも出るのです。

たしかに、「成果主義人事制度」は、ある程度は機能するでしょう。経営の現場にいてそう感じます。けれども、その運用次第ではマイナスに働くこともあるし、働く人が「命をかけて」とまで言ってくれることはまずありません。

評価やお金に命をかけることに反対はしませんけれども、そんな人がいたら逆に恐ろしいと思います。

人が寝食を忘れて働くのは、
そこに、「誇り」や「信念」があるからだと思います。

もちろん、お金も大切ですが、それだけをインセンティブにしている職場は殺伐としています。わたしはお金を否定しているわけではありませんが、お金や評価はよい仕事をした結果なのです。やはり、誇りや信念が会社を強くするのだと思います。

田中耕一先生がノーベル賞を受賞したすぐあと、島津製作所の業績は急回復しました。戦略上のこともあるでしょうが、田中先生の受賞も大きかったと思います。同僚やその家族もノーベル賞受賞を大いに誇りに思い、これまで以上に仕事に励むこととなったのではないかと思うのです。家に帰って、子どもから「お父さんの会社ではノーベル賞をとった人がいるんだね」と言われたら、それを誇りに思い、自分もがんばってみようと思うに違いありません。

対照的に、あるとき、「社員は金とセックスで動く」と言い放った社長がいましたが、こんな会社で働く社員は不幸だし、誇りなどまったく持てないはずです（この社長の話を聞いたのはもう大分前なので、心配しなくとも、もう倒産していると思いますが）。

10　「評価」よりも「幸せ」

わたしが人生の師と仰ぐ方のおひとりが曹洞宗円福寺の藤本幸邦老師です。

その老師と二人でいたときのこと。老師がわたしに、「小宮君、きみは経済は何のためにあるか知っているか？」と質問されました。

わたしが答えられないでいると、

「経済は人を幸せにするための道具。政治も道具だ。目的は人を幸せにすることだよ」


とおっしゃり、「あなたの会社は何のためにあるか、分かるね」と念を押されました。

経済が人を幸せにするための道具なら、わたしの会社も、わたしの周りにいるお客さまや従業員などを幸せにするための道具です。

以来、この「幸せ」が、わたしの経営哲学の根幹をなしてきました。だから、わたしは、お客さまや従業員、ひいては社会を幸せにしない経営や経営者は嫌いです。

相手にしたくないし、していないつもりです。

会社は、お客さま、ひいては社会に対してよい商品やサービスを提供することで、

社会に幸せを与えるものでなければなりません。
そして、働く人にも幸せを与えるものでなければなりません。

ここで、会社が働く人に与えられる幸せは社長力1のストラテジー力の章の六二ページにも書きましたように、二つあると思います。

ひとつは、働くことにより自己実現できる幸せ。実際、働くことにより自己実現できなければ、人生の大半を不幸に感じて過ごしてしまうこととなります。自己実現とは、先にも書いたように、**「なれる最高の自分になる」**ことだとわたしは思っています。

二つ目の幸せは、経済的幸せです。お金のためだけに働いているのではないけれど、さ

りとてお金をもらわなければ生活できません。

適正な給与水準を決めるのは実はたいへんむずかしいことですが、同業他社より少しよい程度がいいのではないかと思います。

少ないと、生活が豊かでなく、場合によっては自分や自分の仕事を卑下してしまうこともありますが、あまりに多いと、しっかりした考え方がなければ、遊ぶことやお金を使うことに興味がいってしまい、仕事を通じての自己実現や社会貢献という気持ちが失せてしまいます。向上心もなくなります。「モノをもてあそべば志を失う」です。


さて、職場で与えられる二つの幸せ、「働く幸せ」と「経済的幸せ」、その二つを同時に実現させるマジックワードが、何度も言うように、「お客さま第一」なのです。お客さまのためによい商品やサービスを提供して喜ばれる。同僚からも尊敬される。場合によっては社会からも評価される。これぞ、仕事を通じての自己実現です。

そして、当然のことながら、そのことが会社の業績向上をもたらし、経済的幸せも実現するのです。

人は幸せについてきます。

家族も友人も部下も、幸せにしてくれる人についてきます。上司は、自分が幸せになりたいのと同じくらい部下も幸せになりたいということを、部下も、上司が自分と同じくらい幸せになりたいと思っているということを、知っていてほしいと思います。

繰り返します。

社会や働く人に幸せを与えられる組織でなければ存在する意味はありません。

まとめのチェックリスト

- □戦略だけでうまくいくと思っていないか？――112
- □スキルのある即戦力で人を採用していないか？――116
- □和気あいあいとした職場にしたいと思っていないか？――120
- □信賞必罰の組織は社員を萎縮させると思っていないか？――124
- □「方針」と「目標」を混同していないか？――128
- □管理された組織のほうがパフォーマンスが高いと思っていないか？――131
- □社員の意識改革が必要だと思っていないか？――134
- □「意味」を伝えれば人は動くと思っていないか？――140
- □やっぱり決め手はお金だと思っていないか？――142
- □そもそも会社は何のために存在するのか、考えているか？――145

社長力4

会計力

会計・財務を経営的に考えているか?

1 「数字」よりも「信念」

この章では、会計やファイナンスについて説明します。経営者として、「正しい」知識や考え方を身につけることが重要です。枝葉末節にとらわれたりすることはもちろん、誤った考え方を身につけていては元も子もありません。

さて、会社である限り、「売上高」や「利益」の目標があります。当然のことです。ところが、若い社員のなかには、「会社は『お客さま第一』を標榜しながら、一方で、売上高や利益を上げろと言う。なぜ売上高や利益が必要なのですか?」と聞いてくる人がいるものです。あなたなら、何と答えますか?

この章のテーマは「会計」ですが、会計を制度として理解する前に、ビジネスに関わる者としてまず知っておくべきことがあります。それは、

そもそも、なぜ売上や利益を出すのか、ということに対する信念を持つ

ことです（「執念」ではなくて「信念」です！）。そして、そのベースとして、売上高とは何か、利益とは何かということをしっかりと理解することが大事です。

ただ、本に書いてある定義をそらんじたところで意味はありません。「お客さま第一」や「社会への貢献」といった企業の存在の目的と同じベクトル線上、あなたが打ち出した会社のビジョンと同じベクトル線上での説明ができなければなりません。

——それでは、売上高とはそもそも何でしょうか？

これは、**「お客さまとの接点」**だと、わたしは考えます。会社は、お客さまに商品やサービスを提供しています。その対価として会社がいただいているのが「売上高」です（「対価」という言葉がありますが、モノやサービスを差し上げている対価が売上高です）。

そういう意味で、

会社の「社会での存在（プレゼンス）」そのものが売上高であり、お客さまに喜んでいただいている大きさである

といえます。いかがでしょうか。

だから、「お客さま第一」を標榜している会社は、その喜んでいただいている大きさである売上高を増加させることに、大きな意義を見いださなければならないわけです。売上高はお客さまに喜んでいただいている度合いですから、それが少なくなるということは、「お客さま第一」が十分でないともいえるのです。

次に、利益。

利益というのは、その売上高から費用を引いたものですが、これは、社内での「工夫の度合い」ともいえます。もちろん、通常、売上高が上がるほど利益も出しやすいわけですから、二義的には「お客さまから喜んでいただいている度合い」であるともいえます。

さらに、利益は「手段」でもあります。次の五つの形で社会に貢献し還元する手段です。

①企業の延命　②未来投資　③働く人の福利向上　④株主還元　⑤納税

そう考えると、

利益は、会社やそこで働く人、社会をよくするためのコスト

だともいえます。

こうした基本的な考え方を、経営者をはじめ働く人のすべてがしっかりと持っていれば、信念を持って売上高や利益を上げようという気持ちになれます。松下幸之助さんもこのような観点から、**利益が出ない企業や経営は罪悪だ**とまでおっしゃっています。従業員や会社、社会発展のためのコストを支払っていないからです。

もしあなたが管理職なら、自分自身もそういった信念を持つとともに、社員にそれを宣教師のように伝えなければいけません。それが管理職としてのミッションです。

2 「仕訳」よりも「読み方」

会計や財務に苦手意識を持つ人は少なくないようですが、それらの書類はいわば経営の成績表ですから、その見方を知っていることは、もしあなたが社長、もしくは社長を目指しているのなら、当然のことながら、必須です。

でも、だからといって、財務諸表のつくり方まで知る必要はありません。煩雑な「仕訳」などを知っている必要はありません。見方、使い方が分かっていれば十分です。パソコンのつくり方を知らなくても使い方を知っていれば十分なのと同じです。

会計本を見ると、一般向けのやさしいものでも、やはり、いろいろと書いてあって、結局何が大事なのか分からなくなってしまうものですので、ここでは経営者にとってほんとうにいちばん大切なビューポイントを挙げておきましょう。

まず、**「貸借対照表」（BS）**。これは、会社の資産、負債、資本の状況を表すものですから、ここで、**会社の安全性をチェックします。要するに、倒産するリスクがどれだけあるのか、**を見るわけです。

具体的には、
①**中長期的な安定性を「自己資本比率」**で見ます（一七〇ページ参照）。
②**短期的な負債の返済能力を「流動比率（＝流動資産÷流動負債）」**で見ます。

このとき、自社の数字は計算すればすぐ出ますが、それだけでは判断できません。それぞれ、一般的な適正値を知っている必要があります。

ちなみに、流動比率は一般的に一二〇％くらいあれば安全といわれています。が、資金繰りの状況や売上規模によって大きく異なります。

次に、**「損益計算書」（PL）では、売上やコスト、利益の状況、増減をチェックします。**

売上高や利益が落ちることは、財務上の問題であるだけでなく、前項で説明したように、社会でのプレゼンスや貢献といった企業経営の根幹に関わることでもあるからです。

また、損益計算書を見る場合には、当然、利益率（＝利益÷売上高）などを見ますが、この場合も、同業他社などと比較することが重要になってきます。比較してはじめて、他社と比べて効率がよいのか悪いのかが分かります。

さらに、**貸借対照表と損益計算書との関係を見ます**。たとえば、売上高が前期に比べて増加した場合には、貸借対照表上の資産がどれくらい増加したかもチェックします。

「売上高÷資産」を**「資産回転率」**といって資産の活用度合いを表しますが、これが落ちると、企業の活力が落ちているような気がします（感覚的で申し訳ありません）。

とはいえ、資産回転率は高ければよいというものでもありません。高ければ高いほどよさそうなものですが、必ずしもそうでもないのです。というのも、資産回転率の高い、売上が資産に比して大きい会社は、月々の経費も多くかかっている場合が多く、いざというときに売却する資産も少ないので、貸借対照表の安全性に関する指標がよくても、現実には、簡単に倒産ということもあるのです。

最後に、**「キャッシュフロー計算書」**。これは、「営業」、「投資」、「財務」の各キャッシュフローを表しています。詳しくは、次項以降でお話ししていきます。

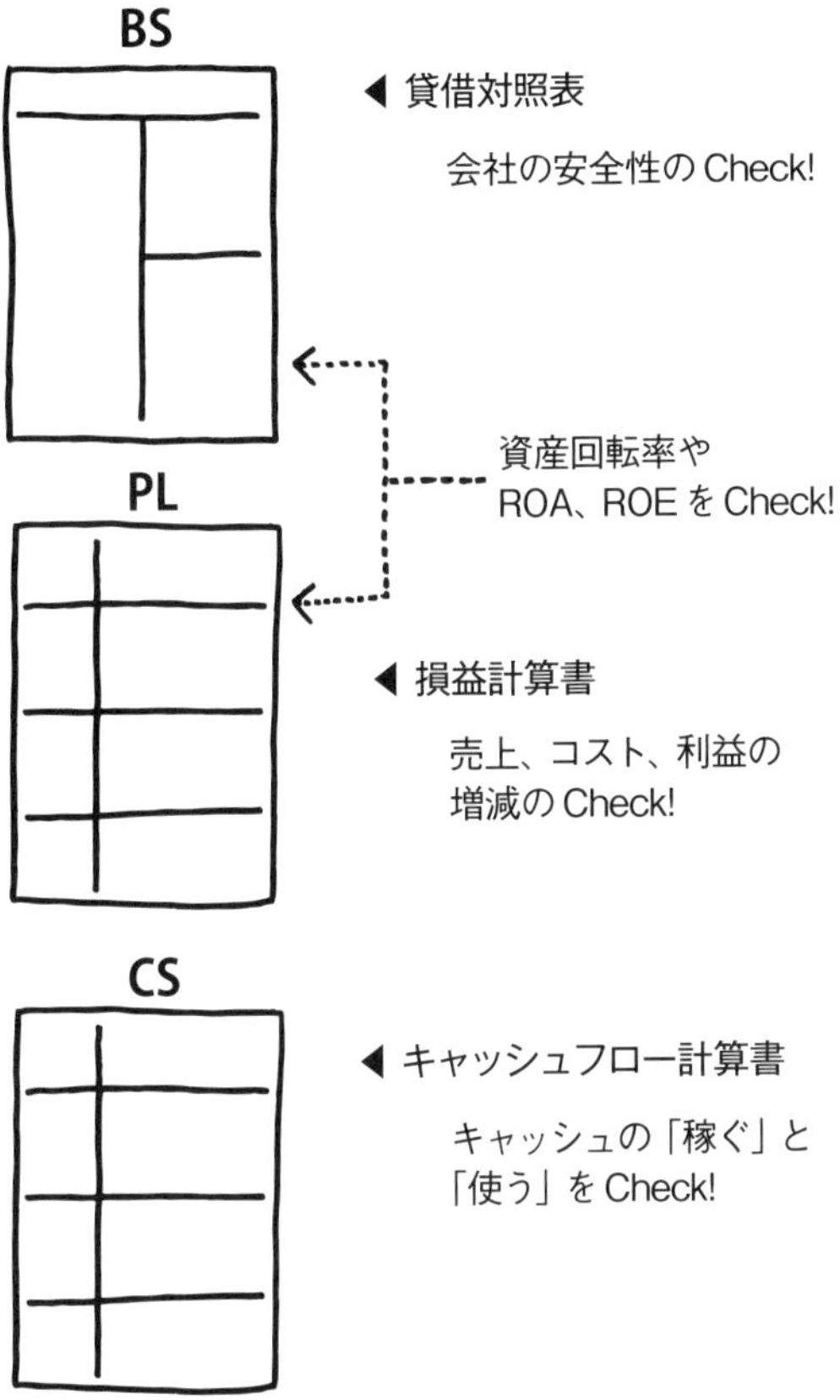
BS
◀ 貸借対照表
会社の安全性のCheck!
資産回転率や
ROA、ROEをCheck!
PL
◀ 損益計算書
売上、コスト、利益の
増減のCheck!
CS
◀ キャッシュフロー計算書
キャッシュの「稼ぐ」と
「使う」をCheck!

3 「利益」よりも「キャッシュフロー」

会社はどんなときに倒産するか、ご存じですか?

答えは簡単。「お金がなくなったとき」です。

なーーんだ、と言うなかれ。だから、利益が出ていても会社は倒産します。いわゆる「黒字倒産」です。わたしもこれまで何度か、近くで黒字倒産を見てきました。

経営をよく知らない人は、「利益が出ていて、なぜお金がなくなるの?」と考えるかもしれません。経営者が最初に覚えるのが、**「利益」と「キャッシュフロー(お金の流れ)」は違う、**ということだと思います(幸いなことに資金繰りに困らず気づかないでいたとしても、最初の決算で納税をするときになれば、だれでも身にしみて分かります)。

簡単な例でご説明しましょう。

ご存じのように、利益とは、売上高から費用を引いたものです。けれども、売上が上がってもすぐにお金が入ってくるとは限りません。小売店ならお客さまからその場で現金をいただけますが、たいていの企業間での取引は後日、決済されます。この場合、売上は立ちますが現金は入ってこないで、「売掛金」となります。手形をもらっても同じです。

つまり、表面的に利益は出ても、現金は増えません。先に経費を支払ってしまっていると、資金的にはマイナスとなってしまう場合もあります。そこで、会社に十分な現預金や借入れ枠があれば資金繰りは回りますが、そうでなければ、黒字倒産ということになるわけです。在庫や投資を必要以上に増加させても同じです。

というわけで、会計や財務を経営の現場で実践するうえでもっとも大切なのは、

現預金などすぐに資金化できるもの（「手元流動性」）を
必ず一定上、常に確保しておくこと

です。では、一定以上ってどのくらい？

中小企業なら月商の一・七ヵ月分、大企業でも一ヵ月分は最低限必要でしょう。

実践的には、資金繰りを気にしなくてもよい額を確保することです。資金繰りにびくびくしているようでは、よい仕事はできませんから。特に、日本のバブル崩壊時や、昨今のような金融危機をともなう景気後退期には、ふだんより手元流動性を多く持っておくことが重要です。**何が起こるか分からず、短期的に頼りになるのは、自社でコントロールできる「お金」だけだからです。**

手元流動性（現預金＋すぐに現金化できる資産＋すぐに借入れできる資金）が乏しくなると、何も見えなくなり、「資金繰り第一」となってしまいます。そういう経営者をこれまでたくさん見てきました。

万一、手元流動性が十分でない場合は、即座に資金を手当てしておくことです。「自己資本比率」や「流動比率」などの指標のことはすべて忘れて、安心できる水準まで手元流動性を高めることです。

銀行や知り合いに頭を下げてでも、資産を売却してでも、何でもよいから、**手元流動性を確保することに全力を尽くさないと、会社をつぶしてしまうことにもなりかねません。**

4「稼いで貯める」よりも「稼いで使う」

キャッシュフローについて説明したので、つづいて、キャッシュフロー経営の話をしましょう。

キャッシュフロー経営というと、キャッシュ（現預金）を稼いで「貯め込む」と思っている人が少なからずいるようですが、そうではありません。稼いで「使う」が大原則です。「稼いで貯め込む」とどうなるか？　というと、村上ファンドがやってみせたように、M&A、それも敵対的買収のターゲットになりやすい。多額の配当を要求されるのはまだましで、場合によっては会社を乗っ取られ、その後、解散させられ、資産をばらばらにして売られた挙句に、キャッシュまでとられるということにもなりかねません。

現預金を必要以上に多く持っていると、グリーンメーラー（株を買い占めることにより会社を恐喝する者のこと。英語で恐喝のことを「ブラックメール」というが、米国の紙幣が緑がかっていることからこの名がついた）に狙われやすいのです。

非上場会社ならその心配はありませんが、キャッシュをあまりに貯め込み、挑戦しない会社は、社風がのんびりして、時代の変化についていけない傾向があるようです（ただし、「手元流動性」に余裕があることは重要です。要はバランスです）。

それでは、稼いだキャッシュを何に使うか？　といったら、次の三つです。

まず、借入れの多い会社は、「借入れの返済」に使います。あとの項でも説明しますが、会社は負債が返済できなくなってつぶれるのです。

適正な範囲に収まるまで、負債を削減するために稼いだキャッシュを使う。

会社の安全性を高めるために使うともいえます。負債、特に有利子負債が少ない会社は、この部分の心配をする必要はありません（ただし、前項で説明したように手元流動性が十分でない場合には、返済よりまず、手元流動性確保を優先します）。

二番目は「未来投資」です。

会社の将来のために稼いだキャッシュを使う。

設備投資のみならず、優秀な人材を雇ったり、技術を育てるのに使います。未来投資を行わない企業は、株主にとっても従業員にとっても魅力の少ない会社となります。

（ちょっとむずかしい言い方になりますが、企業の価値は「将来のキャッシュフローの現在価値」から「有利子負債」を引いたもの〈企業の価値＝将来のキャッシュフローの現在価値－有利子負債〉なので、①借入れの返済は直接的に、②未来投資は将来のキャッシュフローを稼ぐことによって、企業価値向上に役立つのです。）

三番目のキャッシュフローの使い方は、**「株主への還元」**です。

具体的には、配当や自社株の買入れです。これも現在の株主にとっての企業価値を向上させます。

ところで、キャッシュフローを「使う」話ばかりで、「稼ぐ」話をしませんでしたが、これはもちろん、「お客さま第一」を徹底して、売上やキャッシュフローを稼ぐことしかありません。そもそも、これなしに「使う」はできませんね。

5 「負債」よりも「純資産」

「貸借対照表」について、もう少し（ほんとうにもう少しだけ）説明しておきましょう。

「貸借対照表」というと、むずかしく感じるかもしれませんが、実はとても簡単。

貸借対照表は左右に分かれていて、**左側が「資産」**で、現金や商品、土地など会社の「財産」を表します。原則、買ってきたときの値段で記載されています。

その財産を得るためには資金が必要なので、その**「資金」の調達源を表しているのが、右側**。その資金は、**「負債」**と**「純資産（資本）」**に分かれます。

「資金」なのに「負債」というのは、少し違和感があるかもしれませんが、要するに、他人から借りて調達している「資金」が「負債」。これは返済の義務があります。

これに対し、株主から出資してもらったり、自社で稼いだ、返済の必要のない「資金」が「純資産」（資本）です。最初の（と、あとから増資した分の）「資本金」プラス「利益剰余金」（企業活動で儲けたお金の累積＝いわゆる内部留保）などの合計です。

資産の部	
流動資産	○○○○○
現金・預金	○○○○
受取手形	○○○○
売掛金	○○○○
有価証券	○○○○
棚卸資産	○○○○
製品	○○○
仕掛品	○○○
原材料・貯蔵品	○○○
その他	○○○○
貸倒引当金	△　○○○
固定資産	○○○○○
有形固定資産	○○○○
建物・構築物	○○○
機械・装置	○○○
工具・器具・備品	○○○
土地	○○○
建設仮勘定	○○○
無形固定資産	○○○○
工業所有権	○○○
その他	○○○
投資等	○○○○
投資有価証券	○○○
子会社株式・出資金	○○○
長期貸付金	○○○
その他	○○○
合計	○○○○○○

負債の部	
流動負債	○○○○○
支払手形	○○○○
買掛金	○○○○
短期借入金	○○○○
社債（1年以内に返済予定）	○○○○
未払金・諸税金	○○○○
前受金	○○○○
製品保証引当金	○○○○
その他	○○○○
固定負債	○○○○○
社債	○○○○
長期借入金	○○○○
退職給付引当金	○○○○
特別修繕引当金	○○○○
その他	○○○○
純資産の部	
株主資本	○○○○○
資本金	○○○○
資本剰余金	○○○
利益剰余金	○○○
自己株式	○○○
評価・換算差額等	○○○○
新株予約権	○○○○
少数株主持分	○○○
合計	○○○○○○

つまり、借金であれ、株主から預かったお金であれ、ともかく何らかの形で調達した「資金」を、さまざまな形の「資産」に変え運用する、これを企業活動と見なして、数字で表しているわけです。

だから、**常に「資産＝負債＋純資産」となり**、左と右は必ずバランスするから「バランスシート」とも呼ばれます。

詳しいことは、超入門編ともいえる本から専門書まで各種出ているので、そちらで勉強していただくこととして、ここでは、「絶対に」！　覚えておいてほしいことだけ強調しておきます。それは、**「負債」と「純資産」の違い**です。これはすごく重要です。

経営的定義では、

負債は、いつかの時点で「必ず返済しないといけないお金」だが、
純資産は「返済しなくてもよいお金」です。

「なんだ、それだけ」と思う人がいるかもしれませんが、ここが重要です。

先に、会社はお金がなくなったときにつぶれる、と書きましたが、より現実的に言うと、

会社は、負債が返済できなくなったときつぶれます。

手元にお金がなくても、貸してくれる人（銀行）があれば、つぶれない。あるのは負債ばかりだとしても、それを返せと言われない限り、それどころか、さらに貸してくれる人がある限り、つぶれない。でも、もうだれも貸してくれなくて手元にお金もないのに、負債の返済を迫られたとき、つぶれます。

また、こうした銀行からの借入れなど、金利支払いが必要な「有利子負債」だけが、「負債」なのではありません。

「買掛金」（買ったけれども支払っていないお金）も「負債」です。こちらは、利子はつかない「無利子負債」ではありますが、どちらも返済義務を負っているという点では同じです。返済できないと、会社の倒産リスクは一気に高まります。

一方、利益剰余金（内部留保）も含め、「純資産」は、株主から預かっているお金ですが、会社を解散でもしない限り返済義務のない安全な資金の調達源だといえます。

「資金」がふんだんにあると言っても、その中身が借入れや買掛金という負債だらけの場合と、現金商売の無借金経営で利益剰余金がほとんど、という場合とでは、会社の安定性はまったく違います。

また、「資産」がたくさんあると言っても、その中身が現預金なのか、在庫なのか、売掛金なのか、土地などの固定資産なのかによっても、会社の安定度は大きく異なります。

そこで、会社の安定性を見るためのいくつかの指標があります。

そのひとつが、**「自己資本比率（＝純資産÷資産）」**です。

資産を賄っているお金のうち、返済義務のない純資産の割合を示したもので、会社の中長期的な安定性の度合いを表します。この値が小さくなるほど倒産リスクが高まります。

一般的には、工場などの「固定資産」が多い会社は二〇％、商社のように在庫や売掛金などの「流動資産」を多く持つ企業でも、最低一五％くらいは必要だと言われています。

一〇%以下ならどんな業種でも過小資本です。

さて、あなたの会社の数字は、どのくらいでしょうか?

経営を行うに際しては、

自己資本比率を、「一定以下に絶対にしない」

という気持ちが重要です。

これは、社長だけではありません。借入れをして投資するなどの案件が出た際、その借入れを行えば自己資本比率が基準以下になる場合には、役員は絶対に反対しなければなりません。このようなときに、会社を大きなリスクにさらさせないのも役員の大きな仕事です。社長やほかの役員に義理立てなどして黙っているようでは役員失格です。

そのためにも、財務諸表についての基本的な勉強が必要です。

6 「ROE」よりも「ROA」

この項は少しややこしいかもしれませんが、大切なことなのでしっかり理解していただきたいと思います。

以前、ある新聞社が大企業の社長に対して「経営上、もっとも重要な指標は何か」という調査をしました。複数回答可能で、四割以上の社長の答えが「**ROE**」（**株主資本利益率＝利益÷純資産**）でした。わたしは、この回答にたいへん驚くと同時に、がっかりしました。なぜなら、少し会計を勉強したことがある人なら、ROEと答えずに**ROA**（**資産利益率＝利益÷資産**）と答えたはずだからです。

たしかにROE（株主資本利益率）は、前項で説明した「純資産」に対する利益率で、たいへん重要な指標であることは間違いありません。けれども、

ROE（株主資本利益率）が最重要と考えると、

場合によっては企業をリスクにさらしかねません。

たとえば、資産＝一〇〇、負債＝五〇、純資産＝五〇、つまり、自己資本比率が五〇％の会社が一〇の利益を出したとすると、ROA＝一〇％、ROE＝二〇％となります。

しかし、同じ利益で、負債＝九〇、純資産＝一〇と自己資本比率を一〇％まで下げると、ROAは同じ一〇％ですが、ROEは一〇〇％となってしまいます。ROEは格段に改善しますが、自己資本比率が大きく下がっているわけですから会社の安定性は損なわれます。

つまり、

ROEというのは、負債の比率を高めるだけで改善してしまう指標なのです。

専門的で恐縮ですが、もう少し詳しく説明すると、ROAに「財務レバレッジ（＝資産÷純資産）」を掛けたものがROEです。式で表すと「ROE＝ROA×財務レバレッジ」となります（少しむずかしく感じるかもしれませんが、もう少しおつき合いください）。

ROA ＝利益÷資産…①

財務レバレッジ＝資産÷純資産…②

①×②＝（利益×資産）÷（資産×純資産）

＝利益÷純資産

＝ ROE

自己資本比率＝純資産÷資産

上の式からお分かりのように、ROEを高めるためには、ROAを高めるか、財務レバレッジを高めればよいのですが、財務レバレッジの式をよく見ると、前項で説明した**「自己資本比率（＝純資産÷資産）」の逆数**です！

自己資本比率は会社の中長期的な安定性を表すものでしたから、その逆数ということは、

財務安定性を崩せば崩すほど、ROEはよくなる！

一方、ROAを高めることを指標にすれば、自己資本比率を落とさずに、ROEを上げることができます。

ですから、正しい経営指標の優先順位は、先にROAがきて、その後にROEがくるはずで、先にROEというのはおかしいのです。

ＲＯＥというのは、株主が預けている資金に対する利益率を表すものともいえますから、ＲＯＥを重視するのは、株主重視の姿勢を表明するためのものなのでしょう。株価を高めに維持するために必要なことなのかもしれません。

けれども、ＲＯＡを高めることこそが、中長期的な財務安定性を損なわずに、株主の期待に応えることにつながるはずです。

いうまでもないことですが、経営者というのは、資金の調達源である負債と純資産の両方に責任を持つ者なのです。**株主にだけ責任を持つというのは均衡を欠きます。**

7 「売上」よりも「利益」

自分の会社では、いったい利益をいくら出せばよいか、知っていますか？

「出せるだけ出せばよい」、あるいは、「赤字でなければよい」と思っているかもしれませんが、それは違います。そこには、「必要な利益水準」や「適正な利益水準」というものがあります。

ゴルフで言えば、ドライバーを持ってティーグラウンドに立った場合、ふつうの男性なら三〇〇ヤード以上飛ぶことはまずないでしょうが、一五〇ヤード以下では満足しないはず。実力以上に飛ばしすぎると身体や道具を傷めますが、ある程度は飛ばないとよいスコアは出せません。経営でも同じです。

自社の規模などから見て適正な利益の水準があります。

まず、ひとつは、**資産規模から見た必要利益**です。

前項で説明した「ROA」（資産利益率＝利益÷資産）が関係します。

資産を賄うためには、負債や資本が必要ですが、それには調達コストがかかっています。ROAは「利益÷資産」ですから、その調達コストの割合よりもROAは高くなければなりません。

複雑な説明は避けますが、**営業利益（金利を払う前の利益）ベースのROAで「五％」**が合格ラインだとわたしは考えています。

次に、銀行融資や社債をかかえている会社の場合には、その**元金返済や利払いに必要なキャッシュフローを得るための利益が必要**です。財務内容がよい会社はこのことを考えなくてもよいですが、財務内容が悪いと、どうしても無理な経営をしてしまいがちということです。

さらに、働く人の待遇をよくする（もちろん「お客さま第一」が大前提ですが）ために、何を増やす必要があるでしょうか？

答えは、「**一人当たりの付加価値額**」です。

付加価値とは、「売上高－仕入れ」です、自社でつくり出した価値です。

付加価値に占める人件費の割合を「労働分配率」といいますが、労働分配率が同じなら付加価値額、それも**一人当たりの付加価値額が増えないと給与は増えない**。給与が増えないでうれしい社員などいないはずですね。

経営計画を立てる際には、ここで説明した必要な利益額や付加価値額から、利益率などを考慮し、さらに最小の経費を足して、必要な売上高を逆算していくのがよい方法です。そして、その売上高や利益率、経費を達成する方法を考えていくのです。つまり、

「売上高─経費＝利益」と「まず売上ありき」で考えるのでなく、
「必要利益額＋最小経費＝必要売上高」

という積み上げで利益を出すように経営計画を立てる、これが正解です。現在のような厳しい時期でも同じです。会社をつぶさないための経営計画の立て方です。

8 「投資拡大」よりも「増し分」

「増し分」という言葉を聞いたことがありますか？

定員二五〇人の劇場に入場客が二〇〇人いるとします。その劇場に三〇人追加でお客さまが入っても経費はほとんど増加しませんが、利益は大幅に増えます。それが「増し分」です。それを、あと一〇〇人追加で集客できそうだと思って劇場を増築するとなると、実際に一〇〇人増客できたとしても、増築分が高くつくと儲かるかどうかは分かりません。

会計的に説明すると、

固定費が増加しないで変動費だけが増加する場合が「増し分」です。

固定費を増加させてしまうと、売上増が利益に結びつかないか、場合によっては損を出してしまう可能性もあります。まあ、言われてみれば当たり前ですね。

そこで、ビジネスのコツのひとつが、

増し分で儲ける

ということ。当たり前のことのようですが、これを上手に行うには、ちょっとした工夫が必要です。ある運送会社で聞いた増し分についての工夫の話をしましょう。

トラックのチャーター契約というのがあります。荷主が一社だけで、その荷主の荷物を決められた時間に積み込み、決められた時間に目的地に届けるというものです。

しかし、チャーターでも空きスペースがかなりある場合もあります。そこで契約の際、荷主に、「チャーターだから積み地も目的地も、そして到着時刻も荷主の指図どおりに実行するが、もし、空きスペースがあった場合そこに他社の荷物を載せることを許諾してくれれば、チャーター代金を一割下げる」と言うのだそうです。

すると、たいていの荷主はOKします。同じサービスを得られて一割安くなるからです。運送会社のほうも、他社の荷物を積めれば、チャーター代金を一割値引きしても、結局は元の料金よりも多くの収入を得ることができます。

こうして、固定費は増やさずに売上だけを増やす「増し分」を生じさせている、というわけです。

大きな設備投資をして儲けるのはかっこういいが、実は、こうした**地道な増し分をコツコツ積み重ねることで、利益は格段に改善します。**

また、こうした工夫をすることが企業を筋肉質にします。

投資に頼るのでなく、工夫に頼る会社になるからです。

会社をつぶした社長（正確には元社長）を何人か知っていますが、みな、「明るく、元気、大雑把、見栄っ張り」です。明るくて元気なのはよいことですが、大雑把で見栄っ張りだと、増し分の工夫などせずに、お金を借りてでも格好のよい設備投資などを行ってしまうからです。お金に頼ると知恵が出なくなります。

9 「数字作成」よりも「お客さま対応」

会計には、大きく分けて次の三つがあります。

① **財務会計**
② **税務会計**
③ **管理会計**

「**財務会計**」というのは、これまでお話ししてきた「貸借対照表」（BS）、「損益計算書」（PL）、「キャッシュフロー計算書」（CS）の、いわゆる財務三表を用いて、企業活動の実態を表します。上場企業の場合は、これらを公開する義務があり、投資家は、その内容を吟味して投資活動を行い、企業をチェックしたり、改善を要求したりします。

「税務会計」というのは、税額を計算するための会計です。なぜ、これが必要かというと、財務会計上の利益と税金を計算するベースとなる課税所得とは異なる場合が多いからです。たとえば、接待交際費はお金が出ていくので、「財務会計」上はもちろん「費用」として扱われますが、税務会計上は「損金」とはなりません。だから、接交費を使うと、税金分のキャッシュフローを損することになります。

最近は、財務会計と税務会計との開きが大きくなってきています。

ちなみに、財務会計上作成される財務諸表などのアドバイスや監査を行うのが「公認会計士」や「監査法人」で、税務の専門家が「税理士」です。

以上の二つは、定められた規則にしたがって計算され、企業が外部に向けて発表するものであるのに対し（非上場の会社では、貸借対照表と損益計算書を公開する必要はありませんが、作成義務はあります）、**「管理会計」**は、企業内部でおもに経営者が経営判断を行うために使う会計です。

管理会計でも、財務会計上のデータやその他の数字を利用しますが、内部向けのものですので、財務会計のように決まったルールはありません。

たとえば、店舗なら**「坪当たりの売上高」**、**「従業員一人当たりの付加価値額」**など、経営判断のために必要なものを適宜設けて、算出します。

最近、大企業などでよく使われるようになった「EVA（経済付加価値）」や「フリーキャッシュフロー」なども管理会計上の指標で、これらは財務会計上での開示は要求されていません。「人時生産性」（一人一時間当たりの付加価値額）を使っている会社も多くあります。

ですので、この管理会計こそが、経営者の腕の見せどころ。経営者は、財務諸表上の利益やキャッシュフローなどの数字に加えて、自社のパフォーマンスがよく分かる指標をいくつか選定すべきだとわたしは思っています。

この指標の選び方次第で、会社の見え方が変わります。

間違った指標を選ぶと、従業員がムダな努力をしてパフォーマンスが出ません。

また、その際、指標の数は、できるだけ少ないほうがいい。少ないけれど的確な指標で自社の状況を把握したいものです。指標が多くなると、何を見ればよいかが分からなくなります。中小企業なら複雑な指標はかえって邪魔です。

たとえば、中小企業なら、

「一時間当たりの生産性」や「一人当たりの売上高と付加価値額」

程度で十分な場合も多いでしょう。

大企業などで、企画部門に提出する数字作成のために営業に行けないという話をよく聞きますが、まさに本末転倒。システムを整備し、指標を絞ることが重要です。どんな場合も、「お客さま第一」が大前提です。

10 「会計・財務」よりも「戦略・マーケティング」

会計・財務の章の最後に、銀行借入れについて少し話をしておきましょう。

銀行は、おもに企業の次の点を見て、融資の判断をします。

① **安全性**
② **収益性**
③ **成長性**
④ **経営者**
⑤ **銀行の収益性**

安全性とは、要するに、貸したお金を確実に返してもらえるかどうかということです。

先に説明した「自己資本比率」や「流動比率」などを参考にします。担保を設定する場合も多いです。銀行は、預金者の資金を一％程度のわずかな利ざやで融資しているわけですから、安全性をもっとも重視するのが当然ともいえるでしょう。

収益性、成長性も重要です。二期連続赤字だと、たいてい銀行のスタンスが大きく変わります。成長している企業や業界のほうが融資を行いやすいのは当然です。

さらに、経営者本人のことも注意深く見ているものです。特に中小企業にはそうです。設備投資のためにと貸した資金がベンツになったのではたいへんですから！　ルーズな人よりはきっちりした人のほうが、独身者よりは家族持ちのほうが融資しやすいといいます。

最後に挙げた銀行の収益性は、銀行から見て儲かるかどうかです。銀行も儲からないことはやりたくない。だから、金利や手数料などをあまり値切ると、「他行に行ってくれ」ということにもなりかねません。あくまでも力関係を考えて交渉する必要があります。

と、ここまで、銀行との取引について説明しました。でも、いちばんよいのは、

銀行と関わる時間を短くすることです。

こんなことを書くと、「えっ」と思う人もいるかもしれません（実際に中小企業を経営

している人なら必ず）が、企業の本質はファイナンスや会計ではありません！

特に、供給過剰の時代はそうです。右肩上がりの時代なら、お金を借りてでも他社と似た商品を提供すればなんとかやっていけたかもしれませんが、いまはそういう時代ではありません。銀行に目を向ける暇があったら、お客さまと向き合うことです。

ビジネスマンが会計や財務を学ぶうえでいちばん大切なことは、企業も、そしてあなた自身も、お客さま志向でなければならないということです。

どれだけ会計や財務の知識があったとしても、お客さまに喜んでもらえる商品やサービスを提供することができなければ、企業は生き残ることはできません。

ピーター・ドラッカーは、「企業が存続できる条件は、社会に貢献すること」、つまり、商品やサービスを提供し、それにより売上や利益を高め、雇用の維持や株主還元、さらには税金の支払いなどを行うことだと言っています。

会計や財務はあくまでもそれをサポートするものにすぎません。

まとめのチェックリスト

社長力5

リーダーシップと人間力

結局はリーダーの人間力がものを言う

1 「総花的」よりも「重点主義」

仕事柄、経営方針発表会などに出る機会が多くあります。そこでいつも思うのは、発表される方針の多さ！　しかも、期限が短い！

「そんなたくさんのことをできるの？　もし自分でやるとしたら？」と首を傾げたくなります。どうも、「わたし言う人、あなたやる人」的に、ある意味、無責任に部下に命じている人が多いような気がします。

もちろん、いろいろ言いたくなる気持ちは分からないでもありません。会社をよくしたいという気持ちから多くのことを望むようになるのは分かります。けれども、経営において、そして人生においても、そうだと思いますが、

数少ないことでも十分にはやれないもの。

ましてや多くのことを一度にできるものではない。

すなわち、何事にも「優先順位づけ」が必要です。「重点主義」です。

①現状のお客さまやライバル企業の状況などの「外部環境」

②ヒト・モノ・カネや与えられた時間などの「内部環境」

の両面から考えて、優先順位を見極めることが必要です。

多くを行おうとすると、結局何もできなくなってしまいます。大きな実をつけるには、実が小さなうちに、多くを摘果しなければなりません。つまり、捨てる勇気が必要です。

では、実際に、数ある重要なことのうち、何を優先させたらいいのか？

どれもこれも重要だと思うから、挙げているわけです。そのなかで優先順位をつけるのは、ほんとうにむずかしい。万一、優先順位づけを間違うと、部下がどんなに一生懸命働いても十分な結果が得られなくなってしまいます。

それをできるだけ的確に行うには、やはりふだんから、お客さまやライバル企業などの外部環境を把握しながら、社内の事情に精通している、これ以外にないでしょう。すなわち、徹底した現場主義に加えて、観察力と判断力がものを言うわけです。

前の章でも書きましたが、社内にいて社外に出ない「穴熊」では到底できません。

「総花的」に関連して言うと、ちょっとよそで勉強してきたことや知っていることをこれ見よがしに話すリーダーがいます。部下に対して「自分はこれだけ分かっている」ということを「見せびらかしたい」のかもしれませんが、付け焼き刃で話してもすぐにバレます。

部下だって多くのことを知っているし、部下のほうは、「それじゃあ、あなたがそれを実践しているの？」と思っているかもしれません（思っていても口に出して言えないのが部下のつらいところです）。

部下の心が動くのは、上司が、自分がほんとうに心から信じて、かつ、実践していることだけを部下に伝えたときです。そして、自身が先頭に立ってそれをやろうと思っているときだけです。

2 「気合い」よりも「具体化」

働く人の気合いがあればこそ、うまくいくことはたくさんあります。逆に、どんなに優れた戦略でも、肝心の実行する人たちに情熱がなければ何事も実現しません。でもやはり、気合いだけではどうにもならない、というのも事実です。

上司はよく、「とにかく気合いだ！　がんばれ」などと言いますが、実際のところ、たいていの部下は、何をどうがんばればよいのか分かっていないのです。**やることが分かっていたら、すでにやっているはずです。**そんな上司には、部下は心の中で「あなたこそがんばれ」と思っているのです（口に出して言わないだけです）。

経営のコツのひとつに「具体化」があります。

たとえば、わたしの事務所は東京の麹町にありますが、そのあたりの地理をまったく知らない人に、「東京駅まで行ってください」と頼んでも簡単には行けないでしょう。

しかし、会社の近くの地下鉄有楽町線の麹町駅で新木場行きに乗り、三駅目の有楽町駅で先頭車両方向に降りて、そこでJR山手線に乗り換えて一駅で東京駅だ、ということを教えてあげれば、小学校高学年の子どもでも行けます。

部下に指示をするときは、このくらい具体化してやらなければいけません。最初はブレークダウンした目標を与えて、それを順にこなしていってもらい、達成するとはどういうことかを知ってもらうのです。

ただし、いつまでも具体化ばかりだというのも、それはそれで問題です。部下の自発性がなくなるか、もっと自律的な仕事をさせてくれる会社に転職してしまいます。

つまり、上司は、時機を見て、その具体化を部下が自発的にできるように促していかなければならないわけです。ちょうど、子どもが小さいうちは手取り足取り教えてやらなければならないけれど、ある程度大きくなったら大筋の方向性を示せばよいというのと同じように。

このように言うと、たいていの人が、わたしは具体化して、部下に指示を伝えています、とおっしゃいます。ところが、実態は？　というと……。

「具体化」に関する最大の問題は、**具体化できない人は、自分が具体化できていないということに気づかない、**ということです（まあ、これは、具体化に限らず、何についても言えることですが）。養老孟司先生が、著書の『バカの壁』（新潮社刊）で、「言っても分からない人間は分からない」と言っているように、たしかに本人はそのことに気づいていません。

けれども、「具体化」に関しては訓練次第で能力は向上します。

会議などで具体化を心がける質問をみんなが出すようになるだけで、ずいぶん違ってくるはずです。特に、「高い、安い」、「よい、悪い」といった形容詞が出てきたときは、チャンス（？）です。

「それで具体的には？」

とだれかが口を挟むようにします。

たとえば、「もう少し安ければ売れると思う」という意見に対しては、

「もう少しって具体的にいくら？」

といった具合です。そういう質問を繰り返すうちに、みんな漠然としたことを言わなくなります。「ほんとう？」「なぜ？」「それから？」は、具体化のためのキーワードです。

先に触れた「小さな行動を変える」もそうですが、こうした小さい習慣を積み重ねることが、会社の体質を確実に強くしていくのだとわたしは思います。

3 「かっこうつける」よりも「行動」

この本の最初に「経営という独立した仕事がある」と書きました。経営者の仕事は、その経営を行うことです。さらには、会社や部下が困難な状況に陥ったときには、先頭に立ってその問題を解決する意志を持つことです。あなたには、その覚悟はできていますか？

「指揮官先頭」という言葉があります。海軍のエリートを養成する海軍兵学校でよく教えられた言葉で、「指揮官たる者、困難な状況に陥ったら、自ら先頭に立ってその状況を打破する覚悟が必要だ」という意味です。軍隊で困難な状況とは文字どおり戦闘状態のことですから、自らの命も顧みないということでしょう。

さて、かなり前のことになりますが、JR渋谷駅で次のような光景に出くわしました。ラッシュアワーの最中、中央階段を降りたところのもっとも混雑するドアの前に立って、乗降客の応対をしている駅員さんがいたのです。

ちょうど寒い時期で、着膨れした乗客が乗り込もうとするため、ドアがなかなか閉まらない。ふつうの駅員だと、ドアが閉まりかけてから乗客を電車に押し込もうとするのですが、その駅員は少し違っていました。

ドアが閉まりかけると、まず自分の手で閉まりかけるドアを押さえて、乗客がドアに挟まれないように徐々にドアを閉める（ここまでなら、何人かの駅員さんもやります）。そして、ドアが閉まりかける直前に、革靴を履いた自分の足先をドアにわざと挟ませ、乗客の衣服がドアに挟まれないようにし、乗客が完全に乗れたのを確認してから、ドアに挟ませた自分の足をさっと引いてドアを閉めるのです。

その流れはたいへんスムーズで、わたしはすっかり感心し、その駅員の動きに見とれてしまいました。そして、「なんとお客さま思いで、かっこうよいのか」と思って帽子を見ると、金の二本線！　胸の名札を見ると、「駅長　○○」とありました。

なんと、渋谷駅の駅長さんだったのです。

一日に一〇〇万人単位の人が乗降する大きな駅の駅長です。ふつうなら、駅長室でコーヒーでも飲みながらモニターを見て、「今日もみなさん、ご苦労さんだな」とか思っているだけでもだれも文句は言わないでしょう。

ところが、いちばんしんどい時間帯に、もっとも混雑するドアを自ら受け持ち、それも最高の動作をしているとなると、ほかの駅員は、「自分もがんばらなければ」という気持ちにならないではいられないはずです。

とかく地位が高くなるにつれ「評論家」になっていく経営者が多いなか、何かあったら自分が対処するという気持ちを持っていれば、おのずと結果はついてくるのではないでしょうか。

4 「話す」よりも「聞く」

財界の鞍馬天狗と言われ、日本興業銀行（現みずほFG）頭取だった中山素平さんは、松下幸之助さんを称して「松下さんほど、人の話を聞くのがうまい人はいなかった」と、何かに書いておられました。

話すほうはネタさえあれば、いくらでもできます（もちろん、わたしも得意です）。けれども、真剣になって相手の話を聞くのは、相手のペースに合わせることになるだけに、ほんとうにむずかしい。

リーダーというのは、基本的に人に話す機会が多いものです。で、最初は話し下手な人も、だんだんうまくなり、そのうち、話しすぎてしまうようになりがちです。話しすぎるだけならまだましです。少なからぬ人が、人の話を聞けなくなるのです。「どうせ部下などたいしたことは言わないだろう」ということからか、傲慢になって、話を聞かなくなります。

以前、ある人から、日本を代表する流通チェーンを一代で築きあげたある経営者は、

どんな人の話を聞くときにも必ずメモをとっていた

という話を聞きました。

わたしはその話を聞いてすぐにノートを買いました。わたしも従業員七名の零細企業の社長ですが、それまで部下の話にメモをとることはなかったからです。創業経営者で小さな会社だから、会社のことは何でも知っていると謙虚さを失くしていたのです。リーダーが謙虚さを失うと、はたから見ていて、ほんとうにみっともないものだと反省しています。

松下幸之助さんは、人が成功するために大切な資質をひとつだけ挙げるとすると、それは**「素直さ」**だと書いておられました。実際、大阪のパナソニック本社に隣接する「松下幸之助歴史館」の入口には、松下さんの「素直」という字がガラスに彫られています。それだけ素直ということに気をつけておられたということでしょう。

素直なら人の話を聞けるし、話から多くのヒントを得られます。

それだけではありません。人の話を聞くことには、もっとすばらしい効用があります。

すなわち、**人は自分の話を聞いてくれる人を好きになる**のです。ということは？


冒頭で触れた中山素平さんの話には続きがありました。

「松下さんは、新入社員さんから話を聞いても、『よい話を聞かせてくれて有り難う』と言っていた」というのです。

松下さんほどの人生の達人になると、新入社員の話のなかにもビジネスや人生のヒントを見いだせたのでしょう。

さらに、当時でも数万人以上の従業員がいた大松下の総帥が、わざわざ新入社員の話を聞いているということにも、その謙虚さをうかがい知ることができます。

用事があるなら役員のだれかをつかまえて言いつければ、ことはすべてすむはずなのに、新入社員の話をわざわざ聞くところが、凡人には真似のできないことだと思います。

5 「甘さ」よりも「厳しさ」

部下のことを思いやって、厳しくしすぎないようにしている、という管理職がときどきいますが、それはたいていの場合、ただの言い訳です。ほんとうは、自分が恨みを買いたくないからにすぎません。それどころか、自分に厳しい自分自身の上司を恨みに思い、暗に批判していることもあります（たいていい、そうです）。

ほんとうに優しい上司は部下に厳しい。そして、厳しいリーダーは、一時期は嫌われることもあるかもしれませんが、長期的には好かれている人が多いと思います。なぜなら、**厳しいリーダーのほうが結果を出し、最終的には、みなを幸せにする**からです。

結果が出なければ、結局、部下にムダな努力をさせることになり、やる気をなくさせてしまいます。部下の実力も上がりません。転勤するときや退職するときに、「あのときは厳しいことを言われていやでしたが、いまはたいへん感謝しています」と部下から言われるのが、上司冥利に尽きるというものではないでしょうか。

ただし、上司の「優しさ」は「甘さ」とは違います。「甘さ」とは単なるその場しのぎです。「こんなこと言うと、この人がかわいそう」だとか、「ここまで言うと、恨まれるのではないか」と考えるのが「甘さ」。

「優しさ」は違います。リーダーが持つべき優しさとは、中長期的にみなを幸せにすることですから、ときには厳しいことも言わなければなりません。

「優しさ」というコインがあるとすれば、その裏側は「厳しさ」なのです。

一方、**「甘さ」というコインでは、その裏側は「冷酷」です。**

甘いことばっかり言っていると、そのうちに組織全体をおかしくしてしまい、関わる人すべてを不幸にするから、「冷酷」だというのです。


さて、厳しいことを言うには勇気がいります。

では、その勇気やエネルギーはどこから出てくるのでしょうか？

わたしは、それは**「信念」から生まれる**と思っています。信念があれば、言わなければならないことが言えます。

組織を強く、よりよくして社会に貢献し、働く仲間を幸せにしようという信念があれば、エネルギーも湧いてくるというものです。**信念こそが、勇気やエネルギーの源**なのです。

それを、「自分のいる数年間だけ、うまくこの場がしのげればよい」くらいの気持ちだと、言わなければならないことも言わずに、なあなあにして、結局、組織をだめにしてしまうのです。


それでは信念はどうすれば持てるのか？

それにはまず、自分がやっている仕事に真剣に取り組むことだと思います。

真剣さが、「自分がこれをやらなければ」という使命感を生み出します。

もし、いくらやっても真剣になれないとしたら？

そんな仕事なら、辞めてしまったほうがよいかもしれませんね。信念を持てないリーダーの下では、部下だって信念を持てないものです。


人は、信念を持った厳しさのある上司についてきます。

6 「遊び」よりも「読書」

たくさんの経営者を見てきましたが、経営や人生の勉強を十分にしていない経営者の会社はよくなりません。一倉定先生が**「よい会社、悪い会社はない。あるのは、よい社長、悪い社長だけだ」**とおっしゃっていましたが、まさにそのとおりです。大企業でも中小企業でも、経営者の考え方や姿勢、それにプラスして能力が会社を決めます。

もちろん、経営者だって人間ですから息抜きが必要です。働いてばかりだと精神的にも家族にもよくありません。けれども、遊びがすぎるのも問題です。経営が少しうまくいくと、経済的にも精神的にも余裕ができます。オーナー経営者の場合だれの規制も受けないので、自制心がないと好きなことに走ってしまい、往々にしてその歯止めが利かなくなります。ひどいのになると、会社を「食いもの」にするサラリーマン経営者までいます。

前述の円福寺の藤本幸邦老師は、**「欲はエンジン、理性がハンドルやブレーキ」**とおっしゃいます。欲を持つのは悪いことではない、むしろ欲がないとエネルギーが出ない、しかし、それをコントロールする「理性」が必要なのだとおっしゃいます。

お金があるなら好き放題使えばよいではないか、などというものではありません。お金がなくなっても元の遊びを忘れられず、しまいには、会社が多額の借金を背負っても、その借金で車を買ったり、遊びにお金を使ってしまったりする経営者がいまもあとを絶たないのは、ほんとうに悲しいことです。会社というものは、ある意味では、借金などのファイナンスを通じて「見栄」を張る道具とすることもできてしまうところが恐ろしい。

お客さまや部下の目から見れば、やはり会社のために勉強してくれる経営者がいちばん有り難いはずです。もちろん、「読書」だけが勉強ではありませんが、夜な夜な社会勉強と称して飲み歩いているだけでは、経営はおぼつかなくなって当然です。どこかの国の大臣のように、次の日の仕事に影響が出るのが分かっていながら夜更かしをしてしまうのは、プロの経営者としては失格です。

仕事と遊びはバランスが大切で、やはり、会社のため、自分のために、毎日少しずつでもよいから勉強する習慣を持っている、そんなリーダーを部下は望んでいると思います。

7 「むずかしい理屈」よりも「素直に思う」

昔、松下幸之助さんの講演の演題に「ダム経営」というのがあったそうです。

ダム経営とは、「ダムに水が貯まっていると、晴れの日が続いても下流に安定して水や電気を供給できる。同じように、経営も、ヒト・モノ・カネに少しいつも余裕を持っている必要がある」ということだそうです。

あるときに松下さんが、このダム経営をテーマに講演をしたら、聴衆のひとりから、「どうすればダム経営ができるようになるのか?」という質問が出たそうです。

さて、松下さんの答えは?

それは、「ダム経営をしようと思うことだ」というものでした。

相手は経営の神さまですから、聴衆の多くは何か特別な答えを期待したのでしょう、「思う」という答えに、期待が裏切られたようすでした。しかし、聴衆のひとりの若い経営者だけは、「そうか、ダム経営をしようと思うことだ」と素直に考え、自分の町工場に戻ってダム経営をできるようにしようとしました。

わたしはこの話を、この若い経営者がその後、数十年経って書いた本で読みました。

本を書かれたのは、京セラの創業者、稲盛和夫さんです。

（本は『稲盛和夫の実学』（日本経済新聞社刊）。技術者だった稲盛さんが、「利益が出るのに、お金が足りなくなるのはなぜか」という素朴な疑問から、自分なりのキャッシュフロー経営についての考え方を確立されたいきさつなどを書かれた本で、会計や財務、さらに独特の「アメーバ経営」などを理解するのによい本です）。

やはり、何か役に立ちそうなことは、素直に「やろう」と、まず「思う」ことが大切なのです。

成功する人は、総じて素直です。

人が成功しているやり方を、まず素直に受け入れて、そしてそれを自分のものとしていきます。それが成功への近道だとわたしも思います。頭のよい人が必ずしも成功しないのは、下手な理屈をこねくり回して、自分流のやり方にこだわるからではないでしょうか。

8 「肩書」よりも「人望」

あなたは、上司の言うことだからと、ほんとうはやりたくないことでも渋々やったということはないですか？　あるいは、逆に、部下に対して、肩書があるのをよいことに、部下を無理やり動かしているということはありませんか？

肩書のことを、心理学では「権威」と言いますが、権威でも人は動きます。ただし、いつまでも肩書で人を動かしていたら、心から精いっぱい動いてくれるということはありません。本心ではいやなら、動いているふりをするだけです。給与をもらっているし、上司には人事権もありますから、逆らえない。だから、動いているふりをするだけです。そんなチームで最高のパフォーマンスが得られるなどということがあるわけありません！

ところが、上司は勘違いします。部下が動くと、肩書を持った人は、ついつい「自分は偉い」と思ってしまうのです。でも、別に人望があって人を動かせているわけではありません。それが証拠に、たいていは、肩書を失ったとたん、だれも動いてくれなくなります。肩書だけではダメなのです。

心の底から動いてもらうためには、やはり「人望」が必要なのです。

それではどうすれば人望が身につくのでしょうか?

実はわたしにも分かりません。分かっていたらもっと人望があるはずです。ただ、ひとつだけ言えるのは、先に述べた「ダム経営」の松下さんではありませんが、「人望のある人になろう」と「思う」ことではないでしょうか。

そうすれば、わずかずつでもその方向に進むような気がしています。

中国の古典や松下幸之助さんの本など、人間の本質に迫る本を繰り返し読むことも、その手助けとなるでしょう。

9 「順境」よりも「逆境」

会社や人生というのはよいときばかりではありません。いつもよいほうを見てプラス思考でがんばることも大切ですが、逆境に陥ったときの準備をしていることも同じくらい重要です。現在、未曾有の逆境に陥っている会社も少なくないと思いますが、そういうときこそ、会社と経営者の真価が問われます。

いつも順境とは限らない。
逆境のときをも想定した経営や人生計画が必要なのです。

先にも松下幸之助さんの「ダム経営」の話を例にお話ししましたが、逆境に備えるためにも、環境のよいときに、ダムで資金をせき止めておいて、ヒト・モノ・カネに常に少し余裕を持たせておくことが必要でしょう。よいことばかりが「あたり前」になってしまうと、逆境への備えが乏しくなります。逆境のときこそ、「お客さま第一」や「キャッシュフロー経営」の本質を守ることです。

さらに、「あたり前」になってしまうことの弊害があります。

それは、感謝の気持ちがなくなることです。

「有り難い」とはうまく言ったもので「有ることが難しい」と書きます。本来は、お客さまがいらっしゃることも、部下が働いてくれることも、会社があることも、家族や自分が健康であることも、すべて「有り難い」ことです。

そう思っていると、感謝の気持ちが生まれます。

感謝の気持ちがあると、仕事や人生を大切にすることができます。

会社を経営していくには、**大胆さが必要な反面、細心さも必要です。**

ここと決めたら進まなければなりませんが、「危ない」と感じたことに対しては慎重にならなければなりません。

いけいけ！　のことばかり書いたほうがかっこういいかもしれませんが、これは事実です。

前の章でも書いたように、倒産した会社の社長ほど、「明るく、元気」で（これは、成功している社長も同じです）、「大雑把、見栄っ張り」（これは、会社を倒産させる社長だけです）です。

会社は、ある程度の社歴があれば、かなり状態が悪くなるまで、借金もできるし、手形や小切手も振り出せます。短期間なら実力以上の姿を外に見せることができます。

そうしたときに、大雑把で見栄っ張りな人は、借金してでも「いいかっこう」をしてしまう。それがさらに経営を悪化させます。

性格を変えるのはなかなかむずかしいでしょうが、大雑把で見栄っ張りな人は、せめて逆境に備えるだけの準備はしておいたほうがよいでしょう。

ちなみに、わたしは成功した人にもたくさん会いましたが、彼らの特徴は次の五つです（別の本でも書きましたが、何度でも言わせていただきます）。

①せっかち
②人を誉めるのがうまい
③他人のことでも自分のことのように考えられる
④恐いけど優しい
⑤素直

さて、あなたはいくつ当てはまりますか？

10 「自分」よりも「会社」

本書の最初で、経営という仕事の二番目は「資源の最適配分」だとお話ししたのを覚えていますか？

経営は、理屈で覚えるにはそれほどむずかしいものではありません。**むずかしいのは、実践です。**なかでも、ヒト・モノ・カネや時間を有効活用するための「資源の最適配分」はほんとうにむずかしい。なぜなら、それには「私利私欲」が働くからです。

以前、噂で聞いた話ですが、ある大手銀行の頭取は、だれを取締役に昇格させるかという際に、「あいつは以前、引越しを手伝いに来てくれた」と言って某取締役を選んだそうです。実際にはここまでひどくはないと思いますが、地位や権限を持つと、私利私欲でものごとを判断してしまう人がいるのは事実でしょう。

お金を使う場合もそうです。価格や品質は二の次にして、友人の会社から購入するなどまだいいほうで、なかには私用にまで会社のお金を使う経営者がいます。

人間は弱いもので、放っておくと、ついつい自分優先となります。だれも文句を言わない立場になると、特にその傾向が強まります。でも、

リーダーがものごとを判断するときの基準は、「For the company」

でなければなりません。

わたしは、社外役員や顧問として、毎月十社程度の役員会に出席しますが、そこでチェックしているポイントのひとつがこれです。社長や役員が、「For ourselves（自部門のため）」や「For myself（自分のため）」といった発言をしないかどうかを、チェックしています。「『自部門のため』もだめ？」と思われる方もいるかもしれませんが、だめです。役員なら全社全体がよくなることを考えなければなりません。

「Σ部分最適≠全体最適」、つまり、部分最適の集合が全体最適とは限らないのです。

もし、あなたが社長の立場で次期社長を選ぶとしたら、自部門のことばかり主張している役員と、自部門は少し犠牲にしても会社全体のことを常に考える役員と、どちらがふさわしいと考えるでしょうか？　答えはいうまでもないでしょう。

また、ときどき、「For the company」を拡大解釈して、「俺が気分が悪ければみなに迷惑をかける」とか「社会勉強も必要」と称して飲み歩くのも「仕事」だと言ってはばからない経営者もいますが、それが「For the company」かどうかの基準は簡単です。

同じことを部下がやっても許せますか？

部下が営業車で家族旅行に行くのを許しているなら、自分も会社の車を私用に使ってもいいでしょう。それがいやなら、個人用を買うか、一割でいいから車の費用を個人で負担することです。

リーダーには、こうした小さなことにも注意が必要なのです。

11 「現在」よりも「未来」

遊びもほどほど、意思決定も「For the company」で、となると、「リーダーになるには『聖人君子』のようにならなければいけないのか」と感じている人もいるかもしれませんが、もちろん、そんなことはありません（どのみち、なりたくてもなれないでしょうけれど）。わたしは、

リーダーは「あとでたくさんもらおう」と思えばよい

のではないかと思っています。

いうまでもなく、リーダーが遊びほうけているよりはコツコツと勉強するほうが、会社や部門が成功する確率は高いでしょう。「自分のため」を優先しているよりは「For the company」で意思決定しているほうが、会社が成功する確率は高いでしょう。

そうやって成功したら、部下や株主に多くを配分し、残ったものは遠慮なくもらえばよいと思うのです。

リーダーは「自己犠牲」をしなければならないと思っている人もいるかもしれませんが、わたしは必ずしもそれがよいことだとは思いません。もちろん、好き放題をやるのもよくありませんが、**自己犠牲をしていても長続きしません。**リーダーだけでなく、家族、友人、会社、社会など、どれかが犠牲になっても長続きはしないものです。

みなが長期的にうまくいくように組織を運営していくのが、よいリーダーです。そして、最後に喜べばいい！

こうした意味で、リーダーは「未来志向」である必要があると思います。「いま」をどうにかすることも重要ですが、「いま」は部下に任せておいてもよい場合が少なくありません。**「現在」は過去から見た未来なので、たいていは過去の意思決定ですでに決まってしまっているから**です。これに対し、

「現在」の意思決定によって、「未来」を決定づけるのがリーダーの仕事です。

繰り返しますが、求められるのは先を見据えた意思決定です。いまのための意思決定や行動は、リーダー、特に経営者の本質ではないのです。

ある社長から、リーダーは、

「現在より未来」
「表面より本質」
「自分より他人」
「順境より逆境」

を優先して考えるべきだと教わりました。

このように、リーダーとして考えるべき優先順位が分かると、何を考え、どういう意思決定をすればよいかが、より分かりやすくなるでしょう。

12 「金儲け」よりも「正しい人生」

わたしは自分の仕事が大好きです。経営コンサルタントという仕事を通じて、お客さまの企業が発展し、そこで働く人が幸せになるのを見るのが好きだからです。

きれいごとを言っているのではありません。お客さまがよくなれば、その結果、当然のこととして、わたしの会社もわたし自身も経済的によくなるし、社会的評価も高まります。この仕事はわたしにとって天職だとさえ思っています。わたしには、仕事なしで自己実現はできません。

だから、わたしは仕事を大切にしています。そのためには、そして、そうであるからこそ、自分の人生観や価値観に合わないことはやりたくないし、社員にもやらせません。不当な手段で利益を得ることや、自分たちだけがよければそれでよいといった類のことです。そういう人は嫌いですし、頼まれてもそういう会社とはおつき合いしません。成功しないのが明らかだからです。正しい考え方を持った人や会社のほうが結果的にうまくいっているのを知っているからです。

わたしにとっても、そして、いま、この本を読んでくださっている読者のみなさんにとっても、ビジネスは人生の一部のはずです。そして、ビジネスとは、「幸せ」になるための道具です。だからこそ、その方法にはこだわるのです。


それでは、「正しい」人生観とは何なのか？

神ならぬ人間である以上、絶対に「正しい」ということを見つけだすのはむずかしい。わたしは、それを、『論語』や『仏教聖典』、『聖書』など、古代から読み継がれてきた本に求めることがよくあります。古代から読み継がれてきたものには、多くの英知があると思います。多くの人が判断基準としてきた「正しさ」がそこにはあると思うのです。

リーダーは、そういう本を何度も繰り返して読むことが必要でしょう（詳しくは、『ビジネスマンのための「読書力」養成講座』（ディスカヴァー刊）に書いています）。

ひとりよがりの「正しさ」でなく、多くの人が長い間「正しい」と信じてきたことを、自分の人生観に織り込むことができればすばらしい。たいした勉強もしないで自分の考えだけが絶対と猛進する独善的なリーダーほど部下に迷惑をかけるものはありません。

人生のひとつの、しかし大きくて大切な部分としてビジネスがある、と思います。

「ビジネスは金儲けの手段で、人生とは別」とは決して思わないし、そう思っていないほうが結果的にうまくいくと考えます。

本書の最後にあたって、藤本老師から教えていただいた言葉のひとつをお教えしましょう。老師曰く、

「お金を追うな、仕事を追え」

お金ばかりを追っても、お金はやってきません。よい仕事をすれば、お金は自然についてきます。お金は、結果です。逆に言えば、お金がついてくるくらいのよい仕事をやり続けることが大切だ、ということなのでしょう。

そういうふうにみんなが考えれば、ビジネス（働くこと）を通じて、働く人も社会もきっとよくなる、と信じています。

まとめのチェックリスト

- □多くのことをいっぺんにやらせようとしていないか?——192
- □部下が仕事ができないのは気合いが足りないからだと思っていないか?——195
- □身体を張るのは部下の仕事と思っていないか?——199
- □社長たるもの、話すことが聞くことより大切だと思っていないか?——202
- □最近の若い人には、あまり厳しくしてはいけないと思っていないか?——205
- □社長なら遊びも社会勉強と思っていないか?——208
- □自分流のやり方にこだわって成功できると思っていないか?——210
- □肩書で人が動いているのを自分が偉いと勘違いしていないか?——212
- □常にプラス思考だけで、逆境を忘れていないか?——214
- □オーナー社長だから、会社のお金は自分のお金と思っていないか?——218
- □よいリーダーには「自己犠牲」が必要だと思っていないか?——221
- □人生とビジネスはまた別のこと、と考えていないか?——224

あとがき

ビジネスの世界に入って三十年近く経ちますが、ビジネスってほんとうにすばらしいものだと思います。経営コンサルタントの仕事をしてきて、ほんとうによかったと思っています。

ビジネスとは、お客さまに喜んでいただける商品やサービスを提供することによって、お客さまが幸せになり、それにより会社や働く人が潤い、仕入れ先さんや株主さん、さらには、税の支払いを通して社会が潤うものだからです。

しかし、ビジネスを単なる「金儲け」だと考えると少し違ってきます。自分たちが金儲けするためにビジネスがあるとすると、ビジネスがいやらしくなり、仕事そのものが荒れてしまうことになりかねません。弱肉強食にもなりかねません。

私利私欲に走ることが、結局、社会にとってはもちろん、本人にとっても決してよい結果をもたらさないことは、現在起こっている経済危機をみればお分かりでしょう。

よい商品やサービスを提供するという気持ちを持つか持たないかで、社会貢献か単なる金儲けかが決まります。

これは、公務員でも議員でも同じです。国民のために仕事をすれば、仕事が社会貢献になりますが、自分たちの利権や名誉のために行えば、単なる私利私欲です。

松下幸之助さんが、「私利私欲」を持ってビジネスをしてはいけないとおっしゃっているのをＣＤで聞いたことがありますが、日本有数の金持ちとなった松下さんが、よい仕事をして、「結果として」お金が儲かることが「私利私欲」でなかったとお考えだったことは興味深いことです。

よい仕事をすることを目的とするか、あるいは金儲けを目的とするかで、同じことをやっていても、実質は違ってくるのです。そして、よい仕事をすると考えていたほうが、結果として「儲かる」ともいえます。

しかし、それはあくまでも結果です。実は「お客さま第一」というのは、こういうことを言っているのだと、わたしは思っています。

本書を参考にし、「よい仕事」をする会社づくりをされ、読者のみなさんが繁栄されることを心より祈っています。わたしのアドバイスが参考になり、みなさんの会社が繁栄し、みなさんが幸せになられることが、経営コンサルタントとしてのわたしにとって、何よりも誇りになることです。

二〇〇九年　三月

小宮一慶

ディスカヴァー携書　034

どんな時代もサバイバルする会社の
「社長力」養成講座

発行日　2009年3月18日　第1刷
　　　　2009年8月10日　第8刷

Author　小宮一慶

Book Designer　遠藤陽一(DESIGNWORKSHOP JIN, Inc.)
長坂勇司(フォーマット)
ムーブ(本文図版)

Publication　株式会社ディスカヴァー・トゥエンティワン
〒102-0075　東京都千代田区三番町8-1
TEL　03-3237-8321(代表)
FAX　03-3237-8323　http://www.d21.co.jp

Publisher & Editor　千場弓子

Promotion Group staff
小田孝文　中澤泰宏　片平美恵子　井筒浩　千葉潤子
飯田智樹　佐藤昌幸　鈴木隆弘　山中麻吏
空閑なつか　吉井千晴　山本祥子　猪狩七恵　山口菜摘美
古矢薫　井上千明　日下部由佳　鈴木万里絵　伊藤利文

assistant staff
俵敬子　町田加奈子　丸山香織　小林里美
井澤徳子　古後利佳　藤井多穂子　片瀬真由美
藤井かおり　福岡理恵　上野紗代子

Operation Group staff
吉澤道子　小嶋正美　小関勝則

assistant staff
竹内恵子　熊谷芳美　清水有基栄
鈴木一美　小松里絵　濱西真理子

Creative Group staff
藤田浩芳　千葉正幸　原典宏　篠田剛　三谷祐一
石橋和佳　大山聡子　田中亜紀　谷口奈緒美　大竹朝子
河野恵子　酒泉ふみ

Proofreader　中村孝志

Printing　共同印刷株式会社

ISBN978-4-88759-697-9